Mort d'un Chinois à La Havane

Leonardo PADURA

Mort d'un Chinois
à La Havane

Traduit de l'espagnol (Cuba)
par René Solis

SUITES
Éditions Métailié
5, rue de Savoie 75006 Paris
www.editions-metailie.com
2001

Titre original : *La Cola de la serpiente*
© Leonardo Padura Fuentes, 2000
Traduction française © Éditions Métailié, Paris, 2001
www.editions-metailie.com
ISBN : 2-86424-402-0
ISSN : 1281-5667

Mario Conde enquête dans le quartier chinois de La Havane sur un assassinat qu'on pourrait dire exotique : le mort a un doigt tranché et deux flèches ont été dessinées au rasoir sur sa poitrine. Il fait trop chaud pour Mario mais il doit aider son ami Juan Chion, chinois atypique et amateur de métisses opulentes. Les recherches du Conde l'amènent à découvrir des aspects inattendus de l'histoire et de la réalité cubaines, et de l'émigration asiatique dans l'île.

Une nouvelle aventure, autant littéraire que policière, et rondement menée, de l'inspecteur fétiche de Leonardo Padura.

Leonardo PADURA est né à La Havane en 1955. Diplômé de littérature hispano-américaine, il est romancier, essayiste, journaliste et auteur de scénarii pour le cinéma. Il est l'auteur d'une tétralogie intitulée Les Quatre Saisons, *publiée au Mexique, en Espagne, en Allemagne et en Italie, et dont font partie* Électre à la Havane, L'Automne à Cuba *et* Passé Parfait, *traduits et publiés aux Éditions Métailié.*

NOTE DE L'AUTEUR

En 1987, alors que je travaillais comme journaliste pour le quotidien du soir *Juventud Rebelde*, j'ai réalisé une enquête difficile en vue d'un reportage sur l'histoire du quartier chinois de La Havane. Ce texte, intitulé *Le voyage le plus long*, fut à l'origine d'un film documentaire (réalisé par Rigoberto Lopez) et servit de titre à un recueil d'articles, que j'ai publié en 1995.

Les mystères du quartier chinois et son histoire m'ont tellement fasciné que, alors que le personnage de Mario Conde avait déjà été créé et que ses deux premières aventures *Passé parfait* et *Vents de Carême* avaient été rédigées, j'ai écrit un récit en marge de la série de romans qui devaient former le cycle des *Quatre saisons* et qui devait être complété par *Electre à La Havane* et *L'automne à Cuba*.

Cependant, je n'avais pas achevé le récit, et lorsque la dernière partie de la série a été conclue et publiée, j'ai décidé de le reprendre pour en faire le petit roman qu'il est aujourd'hui. Il s'y passe la même chose que dans toutes les aventures du Conde : l'histoire est une fiction, même si elle contient une forte dose de réalité. Ici, derrière l'aventure policière qui entraîne Mario

9

Conde, on trouve l'histoire d'un déracinement qui m'a toujours beaucoup ému : celui des Chinois qui sont venus à Cuba, semblables à tant d'autres émigrants économiques. La solitude et le déracinement sont, logiquement, le sujet de cette histoire qui n'a pas eu lieu mais aurait pu être.

Mantilla, novembre 1998.

Depuis qu'il avait été en âge de raisonner et d'apprendre deux ou trois choses à propos de la vie, un Chinois, pour Mario Conde, avait toujours été ce qu'un Chinois devait être : un type aux yeux bridés, à la peau lisse d'un jaune hépatique trompeur, arrivé un jour d'un endroit très lointain, où les longs fleuves et les montagnes inexpugnables qui montent jusqu'au ciel servent de décor aux légendes de dragons et de mandarins savants. Des années plus tard, il avait appris qu'en plus un Chinois devait être un homme capable de concevoir les plats les plus insolites qu'un palais civilisé puisse savourer.

Par exemple, des perdrix cuites au jus de citron et gratinées avec des feuilles de basilic et de chou, de la cannelle et du gingembre. Ou bien des morceaux de porc revenus avec des œufs, de la camomille, du jus d'orange et finalement dorés à feu lent dans de l'huile de palme. Mais un Chinois pouvait également être, selon l'horizon limité des préjugés du Conde, un type qui tombe amoureux des mulâtresses, fume une longue pipe de bambou en gardant les yeux clos et, bien entendu, parle peu et ne s'exprime jamais qu'avec les mots qui lui conviennent le mieux, et avec cette prononciation chantante et palatale qui lui est habituelle.

Oui, voilà ce qu'est un Chinois, se dit-il après avoir examiné la question, mais tout bien réfléchi, il conclut que ce personnage artificiel n'était qu'un Chinois standard, fruit d'une compréhension occidentale schématique, même si elle semblait au Conde une synthèse tellement harmonieuse et satisfaisante qu'il lui était égal que cette image familière et quasi bucolique ne signifie rien pour un véritable Chinois, et moins encore pour tout autre personne qui n'aurait pas connu ou eu la chance de goûter une fois dans sa vie les plats que préparait le vieux Juan Chion, le père de son amie Patricia.

Etre un aussi piètre expert en questions chinoises ne gênait guère le Conde qui, en tant que flic, éprouvait le besoin de se raccrocher à des lieux communs pour ne pas se sentir totalement désarmé... Cette après-midi-là, pour la première fois depuis de nombreuses années, le lieutenant était revenu visiter le vieux quartier chinois de La Havane où il avait cette fois été appelé par l'un des aléas habituels à son métier : un Chinois y avait été assassiné, mais non de la manière simple et propre avec laquelle on tuait normalement en ville ; ce n'était ni une balle, ni un coup de couteau ou une blessure à la tête, ni même un empoisonnement ou une immolation par le feu. C'était un assassinat étrange, on aurait presque pu dire « chinois », pimenté de certains ingrédients exotiques. Deux flèches croisées dessinées sur la poitrine et un doigt coupé, par exemple.

C'est pour cette raison que, tout en effectuant, dans

un autobus bruyant et bondé, le trajet jusqu'à la maison de Juan Chion, Mario Conde essayait de mettre en ordre ses idées à propos de la nature des Chinois ; mais il avait eu beau enrichir sa réflexion de toutes les expériences à sa portée, il n'avait obtenu que cette misérable réponse, pitoyable en vérité. Si Mao Tsé-toung m'entend ou si Confucius m'attrape, se dit-il en songeant que la Longue Marche, la Grande Révolution Culturelle et même la Grande Muraille, ces gigantesques dragons mythologiques de ce pays excessif, n'auraient jamais pu être l'œuvre du Chinois de sa réponse, même si, après tout, il ne détestait pas l'idée d'avoir fait de Juan Chion, honnête homme s'il en était, son Chinois modèle. Le vieux le méritait bien, d'autant que le Conde avait découvert qu'essayer de savoir ce qu'était un Chinois, dans un autobus puant et surchauffé, pouvait présenter certains avantages : on arrête de s'offusquer parce que des gens vous frôlent avec des organes peu désirables et même parce que quelqu'un a occupé le siège qui devait vous revenir quand enfin le maçon noir s'est levé pour descendre et que la mulâtresse à grosse poitrine a jeté en avant l'un de ses seins, pour bloquer les aspirations justifiées du Conde, qui adorait voyager assis dans les bus, le visage tourné vers la fenêtre, les yeux fixés sur les hauteurs, prêt à découvrir des frontons, des arcades surélevées et des constructions en hauteur qui, lorsqu'il se déplaçait au niveau du sol, étaient hors de portée de ses yeux et de sa curiosité. La seule chose insurmontable à cette heure de la journée était la faim : Juan Chion et la nourriture étaient devenus deux idées si intimement liées que le seul fait de se souvenir du vieux provoquait un gargouillis dans ses tripes toujours prêtes à recevoir ces monstruosités qui par pur miracle avaient bon goût. Des aubergines farcies avec du canard bouilli en sauce de bambou et de pourpier, saupoudrées de farine d'arachide, par exemple.

A l'arrêt au croisement d'Infante et d'Estrella, le lieutenant enquêteur Mario Conde quitta le bus et, pour parvenir à poser les pieds au sol, fut presque obligé de se battre contre la foule qui prétendait monter à bord. « Allez fesses molles, t'avais qu'à pas t'endormir », lui dit la femme qui le bousculait et le Conde n'eut même pas envie de lui répondre. Fesses molles, répéta-t-il en regardant le véhicule s'éloigner, rugissant, menaçant, enveloppé d'un nuage de fumée noire, comme si de toute éternité, l'enfer avait été sa destination finale. Il tira alors soigneusement sur sa chemise trempée de sueur et après avoir réajusté son pistolet à la ceinture, il entreprit de rebrousser chemin le long des trois obscurs pâtés de maisons qui le séparaient de la demeure de Juan et du lieutenant Patricia Chion, dans la rue Maloja.

Il oublia tout de suite la mulâtresse à gros seins et les insultes de la femme car le brouhaha de la rue semblait être une extension de la promiscuité agressive du bus. Merde, qu'est-ce que c'était que ce bordel ? Un carnaval ou une manif ? Les deux choses étaient aussi absurdes qu'impossibles : à La Havane, il n'y avait plus ni carnaval, ni manifestation, seulement des coupures quotidiennes d'électricité et une foutue chaleur. Le Conde aurait préféré marcher dans une rue déserte, sans but et sans hâte, en pensant à ce que son cerveau aurait bien voulu penser, puisque il n'était finalement qu'un sacré « nostalgiste », comme l'appelait son ami le Flaco Carlos. Mais dans la canicule de cette soirée, aggravée par ce qui devait être une longue panne de courant, chaque habitant de ce quartier semblait avoir besoin de l'air de la rue pour survivre, et une masse bouillonnante débordait des trottoirs jusque sur la chaussée, amenant avec elle ses lampes à kérosène et aussi ses fauteuils, ses bancs, ses lits de camp et ses tables de domino et même quelques bouteilles de rhum, pour attendre de la meilleure façon possible le retour de l'électricité.

« Mais bordel, pour qui se prennent-ils ces fils de pute ? Jusqu'à quelle heure ils vont nous laisser sans lumière ? » cria quelqu'un penché à un balcon et le murmure d'approbation se propagea dans la rue Maloja, rompant la résignation de cette veillée collective obligée. Ces gens, habitués à attendre éternellement, se souvenaient de temps à autre qu'il était possible d'exiger quelque chose, même s'ils avaient oublié comment et où. Le Conde pressa alors le pas et se félicita de son habitude de ne pas porter l'uniforme. Ces derniers mois, les coupures de courant s'étaient terminées par des bouteilles lancées dans la rue, des pierres contre les vitrines et d'autres actes de vandalisme spontané, et c'est pour cela qu'il fut aussi soulagé du profond murmure de satisfaction que provoqua le retour tant attendu de la lumière.

Les gens, tels des animaux dressés à répondre aux ordres, crièrent « Enfin », « Quand même », « Putain, c'est l'heure du feuilleton », et désertèrent la rue en moins d'un minute, laissant en évidence, sous la lumière moribonde de deux ampoules à chaque coin de rue, la laideur absolue de cet humble quartier prolétaire qui n'avait même pas la chance de disposer d'un arbre pour égayer le panorama.

La porte de la maison de Juan Chion donnait directement sur le trottoir et quand il venait en visite, le Conde avait toujours l'impression que les deux maisons voisines avaient écrasé celle de Chion. Tous les bâtiments de la rue étaient surélevés, construits dans les années 30, et cela faisait longtemps qu'ils réclamaient à grands cris une rénovation salvatrice et plusieurs couches de peinture susceptibles d'éloigner l'apocalypse qui les menaçait. Le heurtoir de bronze secoua la porte en bois noir et le sourire de Juan Chion remplaça la poignée de mains que ce Chinois n'offrait jamais.

— Le Conde, le Conde, quel plaisi'l, salua le vieillard avec une courte révérence qui était aussi une invitation à entrer.

— Toi tu n'aurais jamais construit la Grande Muraille de Chine, n'est-ce pas Juan ? dit-il en répondant au sourire que conservait l'amphitryon devant l'incompréhensible question. Mais cela n'a pas d'importance, dis-moi, comment vas-tu ?

— Bien, bien, commença le vieux en lui offrant un siège tandis que lui même s'asseyait sur un fauteuil déglingué qu'en dépit des supplications de sa fille il n'avait pas transformé en petit bois et en chiffon à poser sur la poubelle. Le Chinois adorait ce siège qui avait pour lui une valeur particulière ; son épouse l'avait acheté deux pesos dans un magasin d'occasions de la rue Muralla, et le lui avait offert en 1946 pour son anniversaire. Je vais bien, Conde, tu sais que l'exel'cice me fait du bien.

Le Conde approuva tout en allumant une cigarette.

— Et ta fille, elle n'est pas là ?

A cet instant, Juan Chion cessa de sourire, mais cela ne dura pas. Il pouvait dire les choses les plus terribles en enchaînant les sourires.

— Elle est folle, Conde, parle avec elle. Elle a un fiancée qui est un gamin, et elle est folle, Conde.

Mario Conde en conclut qu'il était décidément un homme voué à la malchance et que Patricia Chion était sans aucun doute une nymphomane frénétique. Voilà que c'était maintenant un gamin quelconque qui profitait des multiples attraits corporels de Patricia, avec ces jambes et ces fesses et ce visage de métisse fatale qui faisait fondre le Conde. Par plaisanterie, mais en laissant ouverte la possibilité que cela fut parfaitement sérieux, le Conde avait l'habitude de dire au lieutenant Patricia que le rêve de sa vie était de se baiser une métisse chinoise avec un gros cul, et il tournait autour de Patricia comme s'il avait eu besoin de vérifier qu'elle pouvait être une bonne candidate. La Chinoise, plus pute que jamais, rigolait et lui disait qu'un jour peut-être elle lui trouverait ce qu'il cherchait et le Conde lui suppliait de se dépêcher... Mais voilà qu'à présent, Patricia sortait avec un gamin. Fatalité, se dit le flic, à la recherche d'un remède à son chagrin sincère.

— Juan, tu n'as plus d'alcool de riz ?

— Si tu veux boil'e, lui dit le vieux avec un geste

pour le faire patienter, je peux t'off'li'l du thé. Thé chinois, de Canton.

— Mais tu n'as pas d'alcool ?

Juan Chion ne répondit pas et s'avança vers l'intérieur de la maison, de son pas léger et sautillant de cosmonaute, et le lieutenant Mario Conde se dit qu'une gorgée de cet alcool de riz costaud lui aurait été plus utile que le thé pour expliquer à son ami qu'un de ses compatriotes était mort d'une façon assez étrange et que lui-même était là non seulement pour manger une soupe aux nids d'hirondelles, relevée des innombrables herbes que lui avait citées Juan Chion au téléphone, mais aussi parce qu'il avait besoin de son aide, entre autres choses pour découvrir la cause de la mort d'un Chinois.

C'est une drôle d'histoire, l'avait prévenu Manolo quand il l'avait vu arriver, et Mario Conde n'avait pas su pour quelle raison la remarque du sergent déclenchait chez lui une certaine gaieté. Peut-être de temps en temps cela fait-il du bien de travailler sur un cas bizarre ? Toujours les mêmes voleurs, les mêmes escrocs, les mêmes fils de pute qui prospéraient grâce au pouvoir, les mêmes détournements et les mêmes bagarres collectives, tout cela avait de quoi fatiguer n'importe qui et un peu d'imprévu – ou d'impondérable ? – ne fait pas de mal à la routine policière. Il faut d'abord que tu le voies, avait poursuivi le sergent Manuel Palacios, et le Conde s'était préparé. Même s'il était flic depuis dix ans, il n'avait jamais eu affaire à un « cas chinois ».

— Toi, tu t'en fiches que j'appelle un Chinois chinois, n'est-ce pas Juan ? commença le Conde, la tasse de thé à la main. Cela ne te vexe pas, n'est-ce pas ? parce que les Chinois sont chinois, mais les noirs, il ne faut pas les appeler noirs, même quand ils sont plus obscurs que le cul d'un avare. Aux enfants bien élevés, on apprend à dire « une personne de couleur », mais c'est parce qu'ils sont de couleur noire, non ? Et mon grand-père Ruffino me disait de les appeler des Marrons. Bon, venons-en au fait, on ne m'avait jamais tué de Chinois et maintenant il faut que je trouve qui a tué celui-là...

De fait, le sergent Manuel Palacios n'avait pas exagéré : l'homme vivait dans un immeuble collectif de la rue Salud, presque au coin de Manrique, au cœur même du quartier chinois, et la première chose qui avait surpris le Conde avait été la quantité de vieux Chinois qui se trouvaient dans le couloir. Ils étaient tous accroupis, tous sérieux, tous très silencieux, et tous l'observèrent quand il entra. C'était un regard oblique, lourd et douloureux, capable d'émouvoir le policier, qui se dit : c'est comme une veillée sans fleurs, quelque chose d'affreusement triste. Mais il refusa pour l'heure d'admettre qu'il y avait quelque chose d'anormal : quelqu'un est mort et les autres arrivent, ne dit-on pas que les Chinois sont comme des fourmis ? avait-il pensé cette après-midi-là et il regretta ensuite d'avoir répété cette comparaison au vieux Juan Chion.

— En plus, il existe une odeur particulière aux

endroits où habitent beaucoup de Chinois, tu ne crois pas, Juan ? J'ignore à quoi c'est dû, c'est une puanteur douceâtre, comme des vapeurs de teinturerie qui se met comme ça dans ton nez et t'oblige à dire : c'est l'odeur des Chinois rassemblés. Dis-moi si ce n'est pas vrai. L'immeuble est immense, avec des portes en enfilade et les toilettes collectives au fond, derrière les lavoirs et les réservoirs d'eau. S'il n'y avait pas eu les Chinois et l'odeur des Chinois, cela n'aurait pas ressemblé à une maison de Chinois, mais ça l'est depuis soixante-dix ans.

— Qui était-ce ? avait-il alors demandé à Manolo tout en sentant les regards des Chinois fixés sur son dos.

— Pedro Cuang, soixante-dix-huit ans, originaire de Canton, il a émigré à Cuba en 1928, à treize ans, et il n'est retourné en Chine qu'une fois, l'année dernière, mais il y est resté un mois et est revenu. Il a été blanchisseur et il touchait une pension de quatre-vingt-douze pesos par mois. Il vivait seul, il ne s'est jamais marié et n'avait pas de famille. Un Chinois comme les autres, avait-il expliqué avant de ranger son carnet de notes dans la poche arrière de son pantalon, en un geste qui n'appartenait qu'au Conde et que son subordonné copiait à présent, sans le moindre scrupule.

— Et pourquoi diable quelqu'un aurait-il voulu tuer un vieux comme ça ? avait dit le Conde avant de saluer le garde à la porte de la chambre et de finir par entrer.

— Je te jure, Juan, que l'odeur de Chinois est devenue cinq fois plus forte et m'a sauté à la figure comme une main macabre qui aurait cherché à me couper la respiration. Mais j'ai continué. On m'a dit que personne n'avait rien touché... Et tu sais que j'ai failli pleurer ? Tu as de la chance, tu t'es marié, tu vis avec ta fille et tu as cette maison, mais si l'on pouvait dessiner la solitude, n'importe qui pourrait s'inspirer de la chambre de Pedro Cuang. Un lit étroit comme ça, avec une couverture et un drap tout rapiécés et un morceau de bois contre le chevet, sans doute pour faire un oreiller, tu ne crois pas ? Un petit fil tendu dans un coin, avec deux ou trois pantalons et chemises accrochés. Deux chaises défoncées. Un petit fourneau brillant et sur le sol, à côté du lit, une boîte de conserve remplie d'eau où il y devait avoir cinq pipes à très longues tiges, les mêmes que celle que tu utilises quelquefois. A côté du lit, il y avait aussi le chien. Un petit chien blanc, à poil long, un bâtard de poodle ou de maltais. Le chien aussi avait la corde à laquelle il avait été pendu encore accrochée au cou... Sur le dessus du fourneau, il y avait deux assiettes, deux petites casseroles, des bouteilles et une boîte avec un jeu de dominos. Et le reste de la pièce était rempli de cartons pleins de revues et de vieux journaux, il y avait des chiffons, des boîtes métalliques et des casseroles cabossées, des piles de savon, de papier hygiénique et des conserves qu'il avait dû conserver pendant des années, et même un carton avec des assiettes en porcelaine chinoise. Une trentaine de cartons, la plupart ouverts, avec le contenu répandu, comme s'ils avaient été lacérés... La première chose que je me suis demandée, c'est pourquoi cet homme avait été en Chine avant de revenir dans ce taudis puant. Pourquoi, Juan ? Il y avait tellement de choses répandues dans la chambre que personne ne pouvait savoir s'il en manquait. J'ai demandé après et il semble qu'en effet personne n'est capable de dire s'il manque quelque chose.

Pedro Cuang était toujours pendu à une poutre du plafond et de sa bouche sortait la pointe d'une langue pâle, que ses propres dents avaient mordue. Il était à poil et par terre il y avait une flaque de merde, d'urine et de sang. Le Conde examina le cadavre une minute : c'est le Chinois le plus maigre que j'aie vu de ma vie, conclut-il.

— Et maintenant, voilà un détail qui te dira peut-être quelque chose, Juan : l'index gauche de Pedro avait été tranché et sur la poitrine, au couteau ou au rasoir, on lui avait fait un cercle avec deux flèches qui formaient une croix, et dans chaque quart de cercle, ils avaient mis une croix plus petite, comme des signes à additionner..., tu me suis ?

— Regarde, lui avait dit alors le sergent Manuel Palacios en lui montrant un petit sac en nylon qu'il avait ramassé sur le fourneau. Quand le voisin d'à côté, qui l'a découvert, l'a touché, c'est tombé de sa main droite.

— Dans le petit sac, il y avait deux rondelles de cuivre, comme ça, de la taille d'une pièce d'un centime, avec la même marque que celle qu'on avait faite sur le corps de Pedro. Un cercle avec deux flèches croisées et quatre croix plus petites.

— Etl'ange, étl'ange, finit par dire Juan Chion en buvant la dernière gorgée d'alcool de riz qu'il n'avait sorti que pour accompagner le repas.

— Dis-moi, Juan, toi qui vis à Cuba depuis plus de cinquante ans, explique-moi quelque chose, pourquoi est-ce que vous parlez aussi mal l'espagnol, hein ?

Juan Chion sourit encore plus largement.

— Par-ce-que je n'ai pas en-vie de par-ler avec vous, Mario Conde, dit-il en faisant l'effort de bien prononcer toutes les syllabes et de souligner tous les *r* comme s'il était agi d'un exercice épuisant. Il sourit et tendit le bras pour récupérer le verre du lieutenant.

— Voilà ce qui s'appelle être un Chinois expert en langues, non ?

— N'exagé'lons pas. Ne joue pas les cl'étins, Conde, tu sais bien que le *r* n'existe pas en chinois...

— Ecoute... tu ne vas pas me donner d'alcool ? Bon, toujours est-il que j'ai parlé avec le voisin qui l'a trouvé et c'est comme si j'avais parlé à un mur. Il riait un peu ou il devenait sérieux mais tout ce qu'il disait c'était « Chinois pas savoi'l, police, Chinois pas savoi'l ». Et les autres disent en « savoi'l » encore moins. Et toi qui as une fille qui est flic, tu es bien placé pour savoir que je suis incapable de travailler si je n'ai pas la moindre foutue idée de pourquoi Pedro Cuang a été tué et on lui a coupé un doigt et on lui a fait cette marque sur la poitrine. D'après Manolo, le type devait avoir de l'argent, mais j'en doute, regarde comment il vivait. Bien qu'on n'ait pas trouvé un centime dans la chambre, et ça aussi c'est très bizarre. Mais le désordre était peut-être là pour brouiller les pistes, ou qu'est-ce que j'en sais, moi...

Juan Chion approuva et, en homme sage, décida de remplir à ras bord le verre du Conde.

— Merci, vieux... L'autre problème, c'est qu'il y a un mois, ils ont trouvé un chargement de cocaïne dans le quartier, à deux rues de chez Pedro Cuang. Les détenteurs de drogue étaient cubains, mais les enquêteurs soupçonnent que la drogue saisie représente moins de la moitié de la cargaison totale. Et ils ont trouvé trois kilos... L'un de ceux qui est en tôle raconte qu'on a volé chez lui un paquet avec un peu de poudre...

— Et Ped'lo avait de la cocaïne ? demanda Juan, cette fois avec un certain intérêt.

— En tout cas, on n'a rien trouvé... Mais cette façon de le tuer. Ecoute vieux, mon problème est le suivant : je n'ai pas la moindre foutue idée de ce qui a pu se passer ni de ce que signifie ce qu'ils ont fait à la victime et j'ai besoin de ton aide...

— Moi, en flic ? interrogea lentement le vieux, qui, bien entendu, souriait. Juan Chion Tai, flic du qual'tier chinois. Non, Conde, je ne peux pas, et il souligna son refus d'un mouvement de tête soutenu qui menaçait d'être perpétuel.

Mario Conde le regarda dans les yeux et s'abstint de le supplier. S'il ne trouvait personne capable de lui expliquer l'histoire du doigt tranché, du cercle avec les croix sur la poitrine de la victime et des deux rondelles de cuivre portant le même signe, il ne savait pas par quel bout prendre cette mort, sordide et lourde de menaces, qu'il devait expliquer. De plus, il trouvait décidément étrange le voyage de Pedro Cuang en Chine, et plus encore sa décision de retourner dans ce bouge immonde de La Havane où il avait vécu plus de quarante ans en stockant du savon, des conserves et des vieux journaux... Mais en réalité, tout lui semblait extraordinaire dans la vie de ces Chinois qui vivaient dans la même zone du centre de la ville depuis plus

d'un siècle et étaient toujours aussi lointains et diffé-
rents, des gens auxquels on ne connaissait que deux ou
trois traits distinctifs qui pour l'heure ne lui servaient
à rien : le riz sauté, le baume du tigre pour la migraine,
la danse du lion et l'existence de ces films non sous-
titrés, tel celui qu'avait vu un jour le Conde au cinéma
Aguila Dorada, au milieu des applaudissements, des
éclats de rire et des larmes des spectateurs chinois, jouis-
seurs exclusifs de ce spectacle incompréhensible pour
lui.

— Conde, les affai'les des Chinois concel'nent les
Chinois. Tu me compl'ends ?

— Non.

— T'es bête, Conde.

— T'es encore plus bête. Rappelle-toi que ta fille est
flic...

— Ma fille est cubaine.

— Ta fille est cubaine et flic, et toi, tu sais ce que
c'est qu'un flic. Dans le quartier chinois, on trafique
de la cocaïne et maintenant il y a eu un crime et il faut
que je découvre qui a tué ce malheureux et pourquoi,
et tout seul je ne vais pas y arriver. Si toi tu ne m'aides
pas, le mort sera toujours mort et le vivant qui l'a tué
continuera à manger des rouleaux de printemps au
Mandarin. S'il te plaît, Juan... Ecoute, et si celui qui
l'a tué n'était pas chinois ? Pourquoi penses-tu que c'est
une affaire entre Chinois ?

Le vieux eut un soupir, secoua de nouveau la tête,
avec le même mouvement de pendule sans fin, et finit
par sourire.

— Ecoute ça, c'est la sagesse chinoise : une fois, un

homme a c'leusé un puits au bo'ld d'un chemin, et tous les gens qui passaient ont applaudi son action, pa'lce que c'était un tl'ès bon puits pou'l ceux qui voulaient de l'eau et passaient pa'l là... Mais un jou'l quelqu'un s'est noyé dans le puits, et alo'l tout le monde a c'litiqué l'homme qui l'avait fait... Tu comp'lends ?

— Ça c'est une histoire chinoise, Juan, très jolie et très instructive, mais c'est une histoire, et toi ce que tu dois faire maintenant, c'est m'aider à trouver un assassin... Personne ne va te critiquer à cause de ça.

— Mais, Conde... protesta-t-il sans grande conviction, et le lieutenant en profita pour asséner le coup de grâce.

— Je viens te chercher demain à huit heures et demi, caporal Chion, dit-il avant de vider son verre d'un trait et de faire une référence à Juan. Avant de sortir, il vit que le vieux riait toujours en faisant non de la tête. Réfléchis à ce que je t'ai dit... Surtout l'histoire du doigt et de la croix sur la poitrine, hein ? Aide-moi, je t'en supplie sur ta mère, demanda-t-il d'un ton plaintif en rajustant le revolver à sa ceinture.

Il sortit dans la rue et profita de la solitude apaisée qu'il y trouva, mais en arrivant à la Calzada de Infanta, il aperçut son bus qui s'éloignait. Il y avait au moins dix sièges de libres. Les hommes honnêtes n'ont pas de chance, se dit Mario Conde.

Lorsque Juan Chion était arrivé à Cuba, il avait dix-huit ans, deux bras costauds et une seule idée en tête : gagner beaucoup d'argent et devenir riche dans ce nouveau monde où les pesos coulaient comme l'eau cristalline dans les cours d'eau mythiques de son pays. Fortune faite, il reviendrait à Canton où ses parents et ses frères survivaient à peine, perpétuellement inondés et affamés, semant du riz et volant des poissons dans des rivières sales et traîtresses qui ne leur appartenaient pas, car dans son pays, même les rivières avaient des propriétaires. Avec cet argent, il achèterait ses propres terres, pour lui et sa famille, et il serait célébré et aimé, tel un dieu descendu de la cime de la montagne la plus haute et la plus enneigée, pour modifier d'un seul geste tout-puissant le destin des siens. Juan avait des nouvelles de nombreux autres Chinois qui s'étaient enrichis en Amérique, et lui, du haut de ses dix-huit ans, était sûr de faire partie des heureux élus.

Mais Juan Chion, qui s'appelait Li Chion Tai de son vrai nom et était un homme trop bon, n'avait jamais gagné assez d'argent pour devenir riche ni n'était revenu dans son village : ses parents s'étaient noyés dans la crue de la rivière qui leur donnait à manger, deux de ses frères étaient morts dans une révolte paysanne et le reste de sa famille s'était dispersé à travers un pays aux effrayantes proportions, à la recherche d'un salut possible, dont Li Chion Tai ne put jamais savoir s'il s'était réalisé... Il avait alors perdu le contact avec le reste de sa famille et une grande tristesse l'avait envahi : c'est ce qui le poussa à partir vivre à Cienfuegos, où il avait un cousin qui était arrivé à Cuba deux ans plus tôt et qui lui trouva un travail dans la fabrique de glace d'un compatriote. Mais un beau jour, le cousin Sebastian lui annonça qu'il partait pour les Etats-Unis. Même si l'émigration posait de nombreux problèmes, le cousin avait pris contact avec un capitaine panaméen qui s'offrait de le conduire à la Nouvelle-Orléans pour deux cents pesos. Juan, qui n'avait pas d'argent, dut rester à Cienfuegos, avec la promesse de Sebastian de lui envoyer de l'argent pour qu'il le rejoigne à San Francisco, où tout le monde assurait qu'il était plus facile de monter sa propre entreprise et de devenir riche en quelques années.

Sebastian et Juan se serrèrent fort dans les bras le matin où le cousin monta à bord du bateau, avec d'autres compatriotes. Des mois durant, Juan attendit une lettre de Sebastian, mais il n'eut plus jamais de ses nouvelles. Il se mit alors à enquêter auprès de tous les Chinois qui avaient de la famille à San Francisco ou dans tout autre ville des Etats-unis, mais personne ne connaissait le dénommé Sebastian, qui s'appelait aussi Fu Chion Tang. Ce ne fut qu'en 1940 que Juan apprit enfin le sort de son dernier parent : tous les Chinois embarqués pour cette traversée avaient été entassés dans les chambres froides du bateau et au lieu de faire route vers les Etats-Unis, le navire s'était dirigé vers l'Amérique centrale, après avoir poussé le froid des frigos au maximum. Les cadavres congelés des trente-deux Chinois avaient été jetés par-dessus bord dans le golfe du Honduras, après avoir été dépouillés de l'argent et des quelques objets de valeur qu'ils transportaient...

Sans nouvelles de Sebastian, Juan était retourné à La Havane en 1936. Il avait trouvé du travail dans un magasin et avait fait peu après la connaissance d'une mulâtresse à la peau sombre, avec des nichons durs et un cul inimaginable en Extrême-Orient. Juan le Chinois et Micaela la Nègresse s'étaient mariés en 1945 et avaient eu quelques années plus tard une belle et vigoureuse petite fille ; alors, au lieu de travailler dix heures par jour, Juan fit des journées de seize heures derrière le comptoir du magasin, pour que sa fille puisse au moins vivre, sinon comme une riche, du moins comme un être humain et pour qu'elle soit plus tard une personne bien, avec de l'éducation et de la culture, avec un autre destin que celui de son père et de toute sa famille, chinoise ou noire. C'est pour cela que Juan avait quitté l'immeuble collectif où il vivait avec son épouse et, utilisant l'argent qu'il avait économisé pour aller retrouver un jour son cousin Sebastian, avait loué cette maison avec de vastes fenêtres sur la rue, où Patricia avait vécu depuis l'âge de deux ans.

Mario Conde et le sergent Manuel Palacios le laissaient parler. Ils n'avaient jamais entendu le vieux Juan Chion prononcer autant de mots à la suite, et l'entendre raconter ces histoires de sa vie était un singulier privilège auquel ils avaient droit grâce au nouveau statut de policier auxiliaire qu'avait fini par accepter le Chinois. Le vieux n'avait pas expliqué pourquoi il était habillé et prêt quand ils étaient arrivés chez lui, mais le Conde savait que Patricia avait dû influencer cette décision. Il ferait tout pour elle. Il l'aime trop, se disait le lieutenant tout en l'écoutant et en terminant de boire une tasse de thé au jasmin.

A son arrivé à Cuba, Juan Chion avait commencé par habiter le quartier chinois. Il récurait les chaudrons au Lion Doré, le restaurant de Li Pei, où le maître Cua Cong Fen lui apprit à préparer les plats les plus exquis

29

selon les goûts du monde entier. Du veau en sauce aigre-douce, avec des tranches de mangue, de la poudre de sésame et des morceaux d'ananas, par exemple. Mais le quartier dont parlait Juan Chion était bien différent des ruelles sales et lugubres dans lesquelles à présent marchaient les trois hommes : ne restaient de la splendeur physique de ces rues que des appellations anciennes, les lettres chinoises au balcon d'une société familiale ou d'entraide, et une certaine forme de sordide, indestructible. Ce quartier se meurt, alors que celui que Juan avait connu dans les années 30 vivait et criait. Tu ne devenais pas riche, mais tu avais tous les plaisirs, bons ou mauvais, là même, au cœur du quartier : l'opium et le mah-jong, le théâtre et les putes, les sociétés secrètes et la loterie, les fêtes et les bagarres, les bandes et les usuriers, les buvettes bon marché et les restaurants avec boxes réservés, Juan Chion évoquait tout cela et le Conde se dit qu'en fait, de l'esprit de cet endroit qu'il imaginait à travers les mots de Juan coloré et agité, il ne restait guère que cette odeur forte mais insaisissable, et le souvenir de certaines légendes chinoises, aussi anciennes et difficiles à cerner que Juan Chion ou le défunt Pedro Cuang : l'évidence était qu'ils étaient en train de parcourir un endroit triste et crasseux, détérioré, à l'agonie, en plein cœur d'une ville qui elle-même subissait un destin tragique analogue. Le Conde ressentit alors la souffrance de ne pas avoir été témoin de cette vitalité. J'aurais bien voulu connaître ça, se dit-il. Mais je n'aurais pas aimé le vivre, pensa-t-il aussi.

— Mais s'il y avait une ambiance pareille, pourquoi es-tu parti ?

Juan avait voulu que Patricia grandisse dans une maison, en dehors du quartier, car en fin de compte, ce n'était pas un bon endroit. Cela ressemblait à Canton, mais ce n'était pas Canton et les Chinois vivaient mal. Tout ce qu'ils voulaient, c'était gagner suffisamment d'argent pour repartir un jour, et pour gagner de l'argent, on ne pouvait pas se contenter d'être employé de magasin, blanchisseur ou marchand de légumes : d'où le développement du jeu, de la drogue, de la prostitution, des affaires louches, et une terrible mafia sino-cubaine, et Juan avait voulu s'éloigner de cela... En plus, après ce qui était arrivé à Sebastian, il n'avait plus aucun désir de partir ailleurs.

— Eh oui, j'étais un Chinois un peu diffé'lent, non ?

— Et pourquoi ? enchaîna le Conde qui pensait profiter encore de la facilité de parole du vieux mais qui comprit tout de suite qu'il faisait fausse route.

— Pa'lce que tous les Chinois ont les yeux comme ça, mais tous les Chinois ne sont pas pa'leils... D'ailleu'l, ce n'est pas moi l'assassin, dit Juan Chion en souriant.

— Bon, bon, admit le lieutenant. Mais dis-moi une chose : est-ce que tu as trouvé ce que signifie le cercle avec les deux flèches ? Ça ressemble à de la mafia chinoise, non ?

Juan Chion nia énergiquement de la tête.

— Non, non, mais c'est étl'ange, Conde... ça l'es-semb'le à la signatu'le de San Fan Con, le saint chinois, le gl'and capitaine, tu connais ? Mais San Fan Con ne tue pas comme ça, il se se'lt d'un couteau... On va voi'l

31

quelqu'un qui en sait plus su'l San Fan Con, dit-il, et l'espace d'un instant, il oublia de sourire. Et mets-toi une chose dans la tête, Conde, les Chinois ne sont pas des petites fou'lmis.

Mario Conde essayait de reprendre son souffle et de s'habituer à l'obscurité du long escalier qui menait à la Société Lung Con Cun Sol, quand il se rendit compte que Juan Chion avait terminé l'ascension et était déjà en train de saluer l'homme affectueusement. Les mots en cantonais formèrent un murmure éphémère puis le père de Patricia les présenta comme des collègues de sa fille.

— Enchanté, F'lancisco Chiu, dit le vieillard en les gratifiant de la courte révérence qu'utilisait Juan Chion. Dans la pénombre, le Conde crut entrevoir que Francisco lui aussi riait. Il était très vieux, peut-être plus que Juan Chion lui-même, et aussi maigre que le défunt Pedro Cuang.

— Pancho est le pa'lain de Pat'licia. Un compat'liote du même village p'lès de Canton, nous avons t'lavaillé ensemble longtemps au magasin, ajouta Juan Chion qui fit une autre révérence avant de placer sa main sur l'épaule de Francisco. Et je suis pa'lain de Panchito, le fils de Pancho. Nous sommes compè'les.

Le Conde et Manolo répondirent avec le sourire requis et suivirent les deux vieux jusqu'au salon principal de la Société. Deux longues rangées de fauteuils cannés, vides et poussiéreux, occupaient les bords du vaste local et, vers le fond, une petite table carrée conservait le dénouement d'une partie de dominos achevée peut-être des années auparavant. Francisco leur indiqua les fauteuils et se dirigea vers une fenêtre aux persiennes abîmées et la lumière finit par entrer : un rayon de soleil se fraya un chemin dans la poussière, retomba au centre du salon et le Conde et Manolo purent observer ce lieu figé dans le temps, comme le soulignait l'almanach de la Sélection du Reader's Digest ancré au 31 décembre 1960 et placé entre le dessin lumineux d'un lac paisible au pied d'une montagne enneigée, et une horloge d'Alka-Seltzer, elle aussi arrêtée à une quelconque heure lointaine. Comme dit le tango, vingt années ce n'est rien, pensa le Conde. Et quarante ? Il observa ce décor de film anglais à suspens et se rendit compte que ses mains avaient été noircies par la poussière du temps perdu : cette société était aussi moribonde que le quartier qui l'avait enfanté et où n'arrivaient plus de Chinois depuis l'année, déjà lointaine, de 1949.

Pendant ce temps, Juan Chion et son compatriote discutaient en cantonais. C'était un bourdonnement continu, souligné par des hochements de tête à répétition et de grands gestes calmes des mains, des mouvements circulaires de magicien. En plus d'une occasion ces mains d'ombres chinoises se rencontrèrent en l'air, se touchèrent, se serrèrent avant de recommencer leur ballet nonchalant, comme si les mots n'avaient pas suffi et que cette communication cutanée avait été nécessaire.

— Tu avais entendu parler de San Fan Con, Conde ? lui demanda alors à l'oreille le sergent Manuel Palacios.

— Je crois que oui. Quand mon grand-père disait que quelqu'un était plus mauvais que San Fan Con, il était vraiment mauvais. Mais le diable si je sais d'où le

33

vieux avait tiré ça, lui qui n'avait pas un poil de chinois.

— Donc c'est un saint mauvais ?

— Sûrement... Tu ne remarques pas l'odeur ?

— Ça sent le Chinois, non ?

Le Conde acquiesça, il était d'accord avec la remarque de Manolo : bien sûr, ici aussi on retrouvait cette odeur vague mais inimitable qu'ils avaient défini comme l'odeur de Chinois.

— Au fait, quelqu'un t'a dit si Pedro Cuang avait de l'argent ou s'il connaissait les types avec la cocaïne ?

— Non, Conde, personne n'a rien dit, ni là dessus, ni sur autre chose. C'est la merde, je ne comprends pas les Chinois, ces salauds font comme si ils ne me comprenaient pas et moi... Tu as entendu ça ?

Du fond du local de la Société leur parvint le bruit d'un meuble qui remuait tout doucement, mais avec un léger grincement. De là où il était, le Conde se pencha sur le côté et aperçut, contre le mur, l'ombre d'un homme qui s'approchait d'un carré de lumière. Et sautait.

— Il y a quelqu'un là bas et je crois qu'il a sauté par une fenêtre, annonça-t-il aux Chinois, car il ne savait pas quoi faire.

— Non, non, il n'y a personne, sourit Francisco Chiu qui ajouta en élargissant son sourire : Ah, un petit chat...

Le Conde n'eut pas d'autre solution que de rendre le sourire : s'il voulait de l'aide, mieux valait ne pas commencer par provoquer une discussion avec Francisco Chiu à propos de la taille d'un chat à deux pattes.

Juan Chion et Francisco se levèrent et le père de Patricia leur dit :

— Allons voi'l San Fan Con.

Le Conde se dit : non, il ne faut pas que je m'étonne, même si je dois voir San Fan Con en personne, et il suivit les vieux. Un autre escalier, plus sombre et plus poussiéreux, menait au second étage de la Société. Francisco ouvrait la marche, suivi de Juan Chion, et leurs pas soulevaient un épais nuage gris. Le Conde mourait d'envie de poser des questions, mais il se retenait ; ses yeux le piquaient. Sitôt au commissariat, il irait directement parler avec son chef, le major Rangel : pourquoi faut-il toujours que ce soit moi ? pensait-il quand Manolo lui dit à l'oreille :

— Il y a une fenêtre qui donne sur une autre terrasse... C'est par là que le chat a sauté.

Francisco ouvrit une porte en haut de l'escalier et une légère lueur apparut. La porte se referma derrière lui et l'obscurité revint.

— Pourquoi tous ces mystères, Juan ? demanda le Conde en essayant de comprendre l'attitude du vieux. Qu'est-ce que c'est que cette histoire d'aller voir San Fan Con, hein ?

— Tu ve'llas, tu ve'llas. Tu es p'lessé ?

— Non, pas du tout... dit-il en cherchant une cigarette dans la poche de sa chemise. Il la porta à ses lèvres et entendit le vieux lui dire :

— Ne l'allume pas.

Le Conde eut un sourire. Ou je souris, ou je m'enfuis en courant, se disait-il lorsque la clarté revint, plus soutenue cette fois. Franciso les invitait à entrer et,

35

derrière Juan Chion, le Conde et Manolo entrèrent dans la chambre secrète de la Société Lung Con Cun Sol.

— Aucun policier n'est jamais ent'lé ici, prévint Francisco avant de s'écarter pour ouvrir une autre fenêtre.

Un autel ? Ce fut la première question que se posa le Conde. Cela ressemblait à un autel mais n'en était pas un, même s'il était constitué de deux éléments, comme un maître-autel et un autre plus petit pour célébrer le culte. La console devait être en bois sombre, travaillée avec soin, d'abord par un artiste émérite, à présent par les termites, les fourmis et l'humidité, et de chaque côté il y avait une grosse jarre de porcelaine avec un bouquet de fleurs séchées, ornée d'une profusion de dessins avec des filets dorés, et de petits récipients en bronze, – sans doute pour brûler de l'encens – couronnés d'un animal à tête de lion, qui tentait d'exprimer de la férocité en montrant les dents, mais dont la tête efféminée était avant tout pathétique. Au centre du maître-autel, là où les arabesques étaient les plus travaillées, se trouvait le tapis de soie brodé : quatre gros mandarins, avec de longues moustaches et des cheveux en queue de cheval parlaient entre eux et débattaient, peut-être, du destin de toute une nation ?

Les deux Chinois, debout devant l'autel, répétèrent trois fois le hochement de tête avec lequel ils avaient l'habitude de se saluer, et Juan prit sur la console deux morceaux de bois en forme d'oreilles et les frappa l'un contre l'autre, à plusieurs reprises, tout en murmurant une litanie que le Conde voulut interpréter comme une prière. Juan remit les morceaux de bois à leur place et c'est seulement alors que Francisco leur annonça :

— Celui qui a la longue ba'lbe, c'est Cuang Con, ou San Fan Con, comme on dit ici.

Un cercle avec deux flèches et quatre petites croix. Un homme et son chien morts. Deux rondelles de cuivre marquées elles aussi. Un doigt tranché. Et à présent Cuang Con, le héros mythologique. Comment mettre tout ça ensemble ? s'interrogea le Conde qui observait le visage fasciné de Manolo. Son collègue passait du tissu brodé à la bouche de Francisco et sa tête allait et venait à la façon – évidemment – d'un ventilateur chinois, un coup du côté des mandarins brodés sur fond rouge, l'autre en direction de l'informateur au teint jaune. Les quatre frères guerriers étaient là, Cuang Con, Lao Pei, Chui Chi Lon et Chui Fei, les princes qui durant la dynastie des Huan avaient fondé la Grande Confrérie Lung Con Cun Sol, pour qu'à jamais tous leurs descendants, ceux qui porteraient les illustres noms de Lao, Cuang, Chion et Chiu, se protègent mutuellement sous la tutelle divine de ces dieux combattants.

Les quatre titans discutaient du futur du royaume. L'ennemi avait enlevé les femmes du chef, le frère aîné Lao Pei, et avec elles il avait emporté la fertilité et l'avenir du pays. Sans femmes il n'existe ni beauté, ni monde, ni même vie, et Cuang Con, le plus intrépide des frères, se prépare à aller à leur secours. Il affrontera et viendra à bout de mille travaux, il défera grâce à son astuce et à son courage les armées rivales et une après-midi de printemps il reviendra avec les femmes enlevées et rendra l'espoir au pays de Lao Pei. L'immortel exploit restera dans l'histoire et le héros se transformera en dieu et tous ses descendants, devant un autel semblable à celui-ci, rendront hommage à l'homme qui a rendu leur avenir possible.

— Mais ce n'était pas un saint, n'est-ce pas ? demanda le Conde en se grattant les bras pour retenir son envie de fumer. Je veux dire qu'il n'a pas été sanctifié comme les saints catholiques... pourquoi San Fan Con ?

Francisco va se mettre à rire, se dit le policier en achevant sa question. Le Chinois se contenta de sourire :

— Cela vient d'ici. Cuang Con est a'llivé mais il s'est cubanisé en San Fan Con, et comme c'est un saint colo'lé, les nèg'les disent que c'est Chango, qu'est-ce que tu dis de ça, capitaine ? dit Francisco sans cesser de sourire et le Conde songea à nouveau que, même si Francisco l'avait nommé à un grade supérieur, il valait mieux battre en retraite tant qu'il était encore temps. Donc, c'est aussi Chango, se dit-il, quand Francisco prit sur l'autel une canne en bambou creuse et évasée. Elle contenait de fines tiges portant un numéro et une inscription au bout et, tandis qu'il les agitait comme un grelot pour musique concrète, Francisco expliquait que Cuang Con était le maître du sort : chacune des baguettes indiquait un chemin dans la vie et celle qui portait un cercle avec une croix formée de deux flèches indiquait le pire des chemins : celui de l'enfer, où n'allaient que les traîtres, les meurtriers et les femmes adultères. À Cuba, certains disaient que c'était le signe de San Fan Con et celui de Chango, et que l'homme qui avait reçu cette marque ne pouvait s'attendre qu'à tous les malheurs des deux mondes : celui des vivants et celui des morts.

— Je n'y c'lois pas, capitaine, mais il y a des gens qui y c'loient. C'est des histoi'les de compat'liotes qui font de la so'lcelle'lie comme les nèg'les et de nèg'les qui font de la so'lcelle'lie avec des choses chinoises. Tu comp'lends ? Ped'lo Cuang avait une dette, et quelqu'un s'est l'embou'lsé, et c'est pou'l ça qu'il lui a mis la signatu'le de San Fan Con.

Donc, c'est un autre Chinois qui l'a tué ? Et on lui a coupé le doigt parce qu'il avait dénoncé quelqu'un ?

— Ah capitaine, je n'en sais lien, dit Francisco sans cesser d'agiter la tige de bambou. Maintenant, tu veux connait'le ton chemin ?

Le Conde regarda sortir du récipient une baguette qui semblait flotter au-dessus de ses compagnes. L'extrémité visible portait des symboles et des lettres. L'essence de son destin était-elle sous ses yeux ?

— Non, merci, je préfère ne pas savoir... mais je voudrais voir la baguette avec la croix.

Francisco arrêta le mouvement du bambou et s'approcha de la clarté de la fenêtre. Il chercha parmi les baguettes et en sortit une qu'il tendit au lieutenant. Le Conde, suivi par Manolo, s'approcha aussi de la lumière.

— Ça ressemble, mais ce n'est pas la même, fit remarquer le sergent.

— Francisco, ce que Pedro avait sur la poitrine contenait aussi des petites croix, ici, dans les quarts de cercles... Il n'existe pas une autre baguette ?

— Non, capitaine, avec quat'le c'loix comme ça, ça n'existe pas... C'est biza'lle, non ?

Il n'y a pas de Chinois en vue mais à présent je les renifle, se dit le Conde en se félicitant. Depuis de nombreuses années, quand il avait commencé à fumer, son odorat s'était atrophié et c'est pour cela qu'il essayait de savoir quelle intensité particulière devait posséder cette odeur si caractéristique qu'il était déjà capable de reconnaître parmi toutes les odeurs de la ville. Le long couloir de l'immeuble collectif de Salud et Manrique avait retrouvé sa tranquillité. Au séchoir, deux chemises froissées se battaient lentement contre le vent, telles des soldats vaincus dans la plus terrible des guerres et, juste devant la troisième porte, un vieux lisait un morceau de feuille d'un journal chinois quelconque.

— Regarde, il est là, dit Manolo en voyant le voisin de Pedro Cuang.

— Comment vous appelez-vous ? demanda Juan Chion.

— Armando Li, se souvint le sergent qui utilisa ce nom pour saluer le vieillard. Comment allez-vous ?

Armando continua à lire durant quelques secondes puis leva les yeux. Il allait sourire – lui aussi – mais il ne le fit pas. Il regarda les nouveaux venus et laissa ses yeux posés sur le visage de Juan Chion.

— Bonjou'l, dit-il enfin, et il se leva avec une agilité qui démentait son âge.

— Armando, voici Juan Chion. Il est de ma famille. Il est venu pour m'expliquer, vous savez...

Armando hocha la tête puis il dit :

— Je ne sais 'lien du tout — et il sourit enfin. Le Conde observa les dents verdâtres du vieillard et se dit que ce sourire derrière lequel se barricadait toute une culture était désespérant. Il leva le bras, tout près de menacer le vieux, mais Juan Chion fut plus rapide. Il dit quelque chose en cantonais et Armando, toujours souriant, lui répondit, et les deux vieillards entrèrent dans la chambre.

— Et maintenant, on est bien avancés, non ?

— C'est bien toi qui voulais que Juan t'apporte son aide ? C'est ce qu'il est en train de faire, Conde. C'est avec nous que les Chinois ne veulent pas s'entendre.

— Tu veux que je te dise une chose, Manolo ? On commence à peine et j'en ai déjà jusque-là des Chinois et de San Fan Con...

— Tu en as peut-être jusque-là, mais on est bien obligés de chinoiser... Imagine, si le signe en question n'est pas celui de San Fan Con, on est encore plus paumés.

— Ça sent de nouveau le chinois, mais le bon chinois cette fois, non ? demanda le Conde. Manolo savait qu'il s'agissait d'une question rhétorique qui appelait non pas une réponse mais une simple approbation, et le sergent lui fit plaisir.

— Oui, mais qu'est-ce qu'il y met ?

— Ne t'en fais pas, du moment que c'est bon. Enfin, j'espère.

— Et cette gnôle, pas mauvaise, non ? Un peu amère mais elle descend bien.

— Exact, dit le Conde en reprenant une gorgée de

l'alcool de gingembre que Juan Chion avait cette fois offert. Le vieux, depuis la cuisine, chantait à présent une plaintive romance cantonaise, qui apparemment favorisait son inspiration culinaire et lui permettait de mettre ses idées en ordre. Après avoir parlé avec Armando Li, ils étaient sortis dans la rue et il leur avait demandé un temps de réflexion, et le Conde avait eu beau le supplier, il n'avait pu en tirer qu'une invitation à déjeuner.

— Ecoute, Juan, lança le Conde de la salle, alors Pedro Cuang appartenait à cette société ?

— Bien sû'l, bien sû'l, répondit le vieux avant de retourner à sa chanson.

— Et ce signe sur la poitrine, qu'est-ce que tu crois qu'il veut dire ?

— Une chose mauvaise, non ?

— Et le doigt, ça te fait penser à la mafia chinoise ?

— Tu vois t'lop de films, Conde. Il n'y a plus de mafia chinoise dans le qua'ltier.

— Et pourquoi ils ont tué le chien ? Tu ne disais pas que les chiens, on les enterrait vivants avec les maîtres pour qu'ils les guident dans l'autre monde ?

— Quelquefois, quelquefois, dit Juan Chion, mais seulement après avoir chanté une longue strophe d'une voix de fausset.

— Et dis-moi, les Chinois sont toujours aussi compliqués ?

La réponse ne vint pas tout de suite. Elle vint avec la figure de Juan Chion, penchée à la porte de la cuisine.

— Les Chinois sont chinois, Conde... Le 'lepas est p'lêt — et il sourit, les bras ouverts.

Le Conde et Manolo s'approchèrent de la table, où le vieux avait mis le couvert. Même si au début, ils avaient demandé en quoi consistait le plat auquel il les invitait, il leur avait demandé patience et à présent, une belle soupière décorée de serpents bleu entre les mains, il leur souhaitait bon appétit.

Juan Chion déposa la marmite au milieu et s'assit. Le Conde, sans plus attendre, se leva et regarda la mystérieuse mixture : des lanières jaunâtres et d'autres vert sombre flottaient sur une soupe épaisse et blanchâtre, de consistance gélatineuse.

— Ça sent bon, vieux, admit le lieutenant, mais il hésita avant d'attaquer. Maintenant, dis-moi ce que c'est, s'il te plaît.

— Soupe de chien chinois, dit Juan Chion, sans sourire, et les visages de Manolo et du Conde exprimèrent aussitôt une inévitable répugnance.

— Du chien chinois ? Mais... parvint à dire le Conde, avant que le vieillardne retrouve son sourire.

— Non, non, Conde, c'était une plaisante'lie... une conne'lie comme tu dis. L'ega'lde, c'est une soupe de l'iz et de poisson blanc, avec de l'œuf et du choux en laniè'le. Goûte, goûte.

— Et qu'est-ce que tu as mis d'autre ? insista le Conde, tandis que le Chinois servait déjà les assiettes.

— Du basilic et de la mente poiv'lée, ça sent bon, non ?

Le Conde observa son assiette et regarda le visage encore hésitant de Manolo. Allons-y, se dit-il, et il sauta le pas : il plongea la cuillère dans cette gélatine fumante, souffla deux fois et goûta enfin sous l'œil inquiet de Manolo et le sourire assuré de Juan Chion.

— Putain, vieux, la vérité c'est que c'est bon, et il replongea la cuillère dans la masse visqueuse de ce plat ancestral.

Juan Chion les regardait manger, satisfait. Il leur dit :

— J'ai l'éfléchi.

Le Conde avala et se prépara à écouter le résultat des lentes méditations asiatiques.

Juan Chion avait réfléchi à beaucoup de choses. Avant de partir pour Canton, Pedro Cuang avait raconté que si tout allait bien pour lui, il resterait en Chine, mais il était revenu un mois plus tard sans jamais expliquer pourquoi. De nombreuses personnes pensaient que le mort devait avoir de l'argent : il avait travaillé comme collecteur d'une banque clandestine pour des paris passés dans le quartier et comme les Chinois aiment beaucoup le jeu, les collecteurs devaient bien gagner. La police avait démantelé la banque pendant que Pedro était en Chine et il s'en était sorti indemne parce que personne n'avait dit que le vieux était celui qui ramassait la liste des parieurs. Les Chinois n'étaient pas des balances, et c'était seulement à présent que le vieux était hors de portée de la justice des hommes que l'on pouvait raconter cela... D'après ce que l'on savait, Pedro Cuang n'était pas mêlé à des affaires de drogue et on ne lui connaissait aucun autre commerce, et on ne le soupçonnait absolument pas d'avoir trahi ou dénoncé quelqu'un. Mais Juan Chion était d'avis qu'il y a toujours quelqu'un de prêt à tuer un

44

Chinois qui a peut-être de l'argent et c'est pour cela qu'il trouvait logique qu'on n'ait pas retrouvé un seul centime dans la chambre de la victime. Et il pensait aussi qu'il existait un code inviolable pour ses concitoyens : le mensonge et la trahison sont passibles de mort, et même si personne ne pouvait l'assurer, peut-être Pedro Cuang avait-il dénoncé ou trahi quelqu'un.

— A p'lésent, c'est facile, non, Conde ? termina Juan Chion et ce fut le Conde qui sourit.

— J'ai les cartes en main, n'est-ce pas ? Maintenant, tout ce qui me reste à comprendre, c'est où mènent ces putains de cartes : mensonge, trahison, banque fantôme sur des paris, et un Chinois dont on ignore s'il avait de l'argent et qu'on retrouve pendu avec une croix sur le ventre qui n'est même pas le signe de San Fan Con... Facile ? Fastoche, tu veux dire...

— Ah Conde, ah Conde, se lamenta le vieux. Le se'lpent a une queue et une tête. Si on p'lend la tête, on a'llive à la queue, et si on p'lend la queue, on l'emonte à la tête. Le sel'pent est là, l'este à t'louver l'autle ext'lémité.

Un serpent ?

Tuang-me Wu perdit son dernier fils mais ne manifesta aucune douleur. Il lui fit de belles funérailles, reçut les condoléances et certains amis le virent même sourire. Les jours passèrent et lui continuait à se comporter comme toujours, car il n'observa même pas le deuil habituel. En voyant cela, un voisin lui reprocha son insensibilité. Tuang-me Wu lui dit : « Il y a eu un temps où je ne vivais pas avec mes enfants et je n'étais pas affligé. Quand mon dernier fils est mort, j'ai retrouvé mon état antérieur. Pourquoi devrais-je être triste ? »

Juan Chion aspira la fumée de sa pipe et laissa un long silence pour permettre au Conde et à Manolo de réfléchir, avant de leur expliquer que cette fable était l'une des plus connues de la tradition taoïste et que, même s'il savait que le monde réel était autre chose et que les morts que nous aimons doivent être pleurés, cela enseignait certaines vérités que le Conde et son collègue devaient apprendre : que chaque chose, animal ou personne vient au monde avec son propre chemin, son propre tao, mais qu'en même temps, il n'existe rien qui soit invariable : tout peut devenir son contraire et l'homme sage doit chercher le caractère essentiel des choses et toujours observer les lois naturelles de la vie, le tao de chaque chose, pour pouvoir entrer en possession de la sagesse et parvenir à la connaissance de la vérité. Parce que l'âme d'un homme se compose de particules très fines, matérielles, appelées *tsin tsi*, qui vont et viennent selon la propreté ou la saleté de l'organe de la pensée, le *tsin*.

La pipe fut reposée sur la table et Juan Chion sourit :

— Nettoie ton *tsin*, Conde, nettoie-le bien, pou'l que la vé'lité puisse a'lliver jusqu'à ton âme. C'est le début du se'lpent.

L'un des rêves récurrents du Conde était qu'il existait à La Havane un bar où l'on connaissait ses préférences éthyliques. Le Conde pouvait arriver à son bar – un endroit bien sûr propre et bien éclairé –, à toute heure du jour ou de la nuit et, après s'être installé sur un tabouret et accoudé au comptoir – en bois parfaitement poli, sombre, discret –, le barman s'approchait de lui et après un bref salut, presque familier, l'homme lui servait son verre, sans qu'il ait eu à le demander. Dans ce lieu idéal, ils sauraient que le Conde préférait le rhum Santiago de trois ans d'âge, fabriqué dans l'ancienne distillerie Bacardi, et qu'il aimait le boire dans un grand verre, avec quelques gouttes de citron vert et seulement un petit glaçon. Dans ce bar, on saurait par ailleurs que lorsque le Conde buvait seul, c'était parce qu'il voulait réfléchir, et non parce qu'il était un vulgaire alcoolique solitaire.

Mais ce simple bar, comme tant d'autres rêves, était impossible à transcrire dans la réalité objective aussi agressive que détériorée de la ville où il était né et où il vivait depuis lors ; ici les bars existaient ou cessaient d'exister selon le bon vouloir d'un fonctionnaire en service, susceptible de décréter la conversion d'un débit de boissons alcoolisées en pizzeria, et la pizzeria en cordonnerie et la cordonnerie en cercle d'échecs, car l'objectif pour 2010, imposé par un autre fonctionnaire en service amoureux des buts éloignés, donc facilement oubliables, était d'avoir dans le pays moins d'ivrognes, peut-être moins de pizzas, sans aucun doute moins de chaussures réparées, mais plus de grands maîtres du jeu scientifique, capables de transformer le pays en puissance mondiale du jeu d'échecs. C'était aussi simple que cela.

Le pire, pourtant, était que, même en la demandant – ce n'était jamais le même bar, et encore moins le même barman, car dans l'île tout devait couler dialectiquement de négation en négation –, il n'était pas non plus possible de trouver la même boisson dans chaque bar : il n'y avait pas de glaçons, il n'y avait pas de citron, ils n'avaient pas reçu de rhum Santiago depuis des mois, pour combler le désespoir du policier, il n'y avait simplement aucun rhum.

Ce soir-là Mario Conde aurait eu besoin, comme jamais, de l'existence d'un bar pareil, le sien, pour, le rhum à la main, nettoyer son *tsin* des innombrables impuretés qui avaient dû s'y accumuler faute d'un usage approprié. Il avait eu soudain la vision de son *tsin* comme les têtes de lecture sales d'un lecteur de cassettes vidéo qui, pour pouvoir émettre à nouveau des images et des sons nets, a besoin d'un soigneux nettoyage à l'alcool.

Et même si l'idée de ramoner à fond son *tsin* était pour lui toute neuve, la certitude que le rhum l'aidait à obtenir pratiquement toutes les choses de la vie qu'il désirait le plus – s'échapper pour un temps de la routine quotidienne, se sentir libéré de ses inhibitions et de sa culpabilité, mettre en branle sa conscience jusqu'à un état où l'oubli était possible – était pour lui une expérience déjà ancienne, dont il abusait de façon aussi fréquente qu'agréable.

— Il n'y a ni bar ni rhum , mais je vais me nettoyer le *tsin*, même si ça doit être à l'essence...

Trois bars fermés, deux où l'on ne vendait que des cigarettes et les boutiques où il y avait du rhum – et même le choix des marques – mais qui étaient retranchées derrière la barrière infranchissable du dollar, conduisirent le Conde à un bouge de la Vibora où le

Mage Jacinto, un chimiste retraité de l'industrie, se consacrait à la distillation d'alcool à partir des composants les plus inconcevables. Le Conde (qui se gardait bien de faire état de sa condition policière) dut frapper à deux portes, franchir trois grilles et invoquer le nom de son ami Candito el Rojo pour que le Mage Jacinto l'amène dans ses réserves bien fournies, situées dans une bicoque de bois et de zinc, au fond du patio de la maison.

— Qu'est-ce que tu veux prendre ? interrogea le Mage, tout en se curant le nez à la recherche d'une crotte apparemment inaccessible.

— Il y a le choix ? s'étonna le Conde avec un soupir de soulagement devant la proximité de la boisson.

— J'ai de l'Etincelles Express à trente pesos, du Filtré-Collé à quinze et du Baisse ton Slip à vingt-cinq.

Le Conde en avala sa salive, mais décida qu'il préférait malgré tout avaler autre chose.

— Où vas-tu chercher des noms pareils ?

Facile : le Filtré-Collé, c'est de l'alcool pour lampes filtré et modifié pour qu'il ne s'allume pas. L'Etincelles Express, je le distille moi-même, avec de la canne, un peu de bon alcool, du pain et de la levure... Tu as déjà bu de l'alcool de marc ? Ça ressemble plus ou moins à du marc et c'est pour ça que c'est plus cher... Et le Baisse ton Slip, je le fais avec des pommes de terre et de la levure, et c'est de la dynamite. Tu t'en bois une bouteille, et tu es capable de tout, depuis braquer une banque jusqu'à faire le tapin...

— J'aime autant pas... Donne-moi deux Etincelles Express.

Sa provision sous le bras, le Conde prit le chemin de la maison du Flaco Carlos, et décida durant le parcours de convoquer aussi Candito el Rojo qu'il appela chez ses voisins, là où il avait l'habitude de laisser ses messages pour lui.

— Rojo, j'ai deux fusils sous le bras, lui dit-il quand son ami vint répondre en personne.

— Et de quoi d'autre as-tu besoin ?

— Je vais chez Carlos.

— Mais de quoi as-tu besoin ?

Le Conde sourit.

— Tu pourrais peut-être me mettre en contact avec San Fan Con... après tout, c'est toi le théologien de la tribu.

— Arrête de faire le fils de pute, Conde. C'est bon, j'arrive.

Le feuilleton avait commencé et depuis le trottoir, le Conde écouta le drame de ces personnages dont les vies aux fins heureuses adoucissaient le quotidien de la mère du Flaco Carlos, qui devait porter la croix physique et spirituelle de l'invalidité de son fils. Sans lui laisser le temps de se lever, le Conde embrassa sur le front la vieille Josefina et lui caressa les cheveux avant de la laisser absorbée, devant le téléviseur.

Sans demander de permis ni d'autorisations, il passa à la cuisine et tout en avalant une assiette de pommes de terre bouillies, préparées avec du thon et de l'oignon, il coupa des citrons, prit deux verres où il mit de la glace et en finissant de mâcher la dernière pomme de terre, il entra dans la chambre où son ami, les yeux tournés vers la fenêtre, écoutait de la musique, le casque sur les oreilles. Il doit écouter Credence, estima le Conde... Ou bien Chicago ? Sans l'aviser encore de sa présence, il déboucha l'une des bouteilles et versa une dose généreuse d'Etincelles Express dans chacun des verres. Il renifla le sien et eut aussitôt l'impression d'avoir les voies respiratoires débouchées sous la brûlure des cinquante degrés du breuvage. Il retint son souffle et goûta. On dit toujours que la première gorgée est la mauvaise, mais cette fois ce fut la pire. Une boule de feu traversa son larynx et au passage embrasa le *tsin* de Mario Conde dont s'enfuirent les *tsin tsi* comme les rats terrorisés d'un certain film chinois.

— Putain de merde, fut-il obligé de dire, et il regoûta l'alcool qui cette fois descendit avec moins de chichis.

Il prit l'autre verre et se dirigea vers Carlos, qui était toujours perdu dans la musique. C'était terrible de le voir pour toujours sur son fauteuil roulant, regardant par la fenêtre les arbres du patio. A quoi pense-t-il ? se demanda le Conde en observant le profil de son vieil ami le Flaco, qui n'avait plus rien de maigre et dont l'anatomie débordait des bras du fauteuil où il était relégué à vie, à cause d'une balle et d'une guerre que selon le policier il n'avait pas méritées. Subrepticement, le Conde intercala le verre maudit entre les yeux de son ami et l'infini. Sans dire un mot, le Flaco eut un sourire, attrapa le verre et avala d'un coup la moitié de son contenu.

— Putain merde, Conde, qu'est-ce que c'est que ce truc ? dit-il en sautant sur son fauteuil et en arrachant d'un coup ses écouteurs.

Les Italiens appellent ça Fulgore di Treno, et les Chinois Elixir qui nettoie le Tsin... Qu'en dis-tu ?

— Il n'y a que le premier pas qui coûte, mais ce n'est pas mauvais, n'est-ce pas ? Ça vient de la distillerie du Mage ?

— Eh oui, dit le Conde en reprenant une gorgée. J'en ai acheté deux litres parce que j'ai besoin de réfléchir.

— Dis plutôt que tu ne veux plus jamais réfléchir dans ta putain de vie...

— Si seulement !

— Qu'est-ce qui t'arrive, grosse brute ?

— Rien, une sale histoire. J'ai un Chinois mort, lié à une banque qui prenait des paris, peut-être à de la drogue, et apparemment aussi à de la sorcellerie ou à de la mafia chinoise, parce qu'on lui a tranché un doigt et qu'on lui a tracé un cercle avec une croix sur la poitrine...

— Ça m'a l'air sympa.

— Ça m'a l'air d'être une saloperie, dit une voix derrière eux, et ils se retournèrent pour voir s'avancer Candito le mulâtre, qui leur serra la main et s'assit au bord du lit de Carlos.

— Et où est-ce que c'est arrivé ?

— Dans le quartier chinois.

Sans demander la permission, Candito prit le verre du Conde et but le reste de l'alcool. Le mulâtre le retourna dans son palais comme s'il avait dégusté un vin millésimé et rendit un jugement plein de sagesse.

— Putain, le Mage s'améliore.

— C'était pire avant ? s'enquit le Flaco, après avoir bu une nouvelle gorgée.

— Ça au moins, c'est buvable, non ? Et c'est quoi cette histoire chinoise, Conde ?

— Qu'est-ce qui t'arrive ?

Le soleil brillait avec l'impertinence de neuf heures du matin et menaçait d'offrir une journée infernale. Un reflet sale montait de la mer et le Conde, protégé par ses lunettes noires, sentait les blessures de la lumière dans ses pupilles, comme des coups d'épingle brûlants. Il essaya de sourire à Candito mais n'y arriva pas.

— Qu'est-ce que tu veux qui m'arrive, Rojo ? J'ai une gueule de bois de tous les diables...

— Tu baisses, vieux frère... regarde, moi je me suis levé comme une fleur et j'ai bu la même chose que toi... Attention, voilà notre bateau.

La vieille barque qui traversait la baie jusqu'au village de Regla était en train d'accoster et le Conde se dit que c'était une mauvaise idée de se lancer à la mer avec une gueule de bois pareille. Même si le trajet était bref et calme, son malheureux estomac était capable de se retourner sous le va-et-vient des vagues. Mais il respira un grand coup et monta à bord.

La veille au soir, quand, à la demande de Carlos il avait dessiné sur un papier le signe gravé sur la poitrine de Pedro Cuang, Candito lui avait dit d'oublier ces histoires de San Fan Con et toutes ces chinoiseries : les flèches, le cercle et les quatre croix, c'était la signature de *Palo Mayombe*, de la sorcellerie africaine, quant au doigt coupé à la victime, c'était sûrement pour l'utiliser

53

dans une *nganga*. Et s'il voulait en savoir plus sur les signatures et les *ngangas,* il fallait consulter Marcial Varona, le vieux *ngangülero* le plus sage et le plus respecté de tous les sorciers de Regla, la Mecque de la sorcellerie cubaine.

Les yeux fixés sur l'horizon, le Conde put achever la traversée sans que la menace du vomi se concrétise, mais en posant le pied à terre, il fut pris d'un vertige subit, comme si l'ivresse était remontée.

— Tu es couleur de cendre, mon salaud, lui dit Candito.

— Laisse-moi prendre l'air, ça va passer, demanda le policier en s'appuyant contre un mur. Il sortit de la poche de sa chemise un comprimé de Duralgine qu'il mastiqua, en absorbant toute l'amertume de l'analgésique puis il alluma une cigarette et contempla la mer. Il sentit le vertige refluer et cracha par terre.

— Bordel de merde, je crois que ne reboirai plus jamais de ma vie.

Candito éclata d'un rire qui finit par gagner le Conde.

— Déconne pas, Mario, ça fait depuis que je te connais que tu dis ça.

— De la *Zaranbanda*, affirma Marcial Varona avant de remettre le cigare à sa bouche. Le noir pouvait avoir cent ans, deux cents ans, n'importe quel âge. Sa tête, recouverte de laine blanche, contrastait avec l'obscurité profonde de sa peau, marquée par toutes les rides possibles, qui s'entassaient comme des plis rigides. Mais c'était surtout les yeux du vieillard qui avaient attiré l'attention du Conde : le globe oculaire était presque aussi noir que la peau et transmettait une expression qui autrefois avait dû provoquer de la terreur. D'après Candito, Marcial était le petit-fils d'esclaves africains et avait vécu toute sa vie à Regla, où il avait été initié aux secrets du *palo,* le bâton magique, et était devenu *mayombero.* Mais en plus, le vieux était aussi un *babalao,* membre du très ancien jeu *abakua* des *Makaro-Efot,* dont il était l'un des plus hauts dignitaires, et même franc-maçon. Parler avec lui revenait à consulter le vieux gourou de la tribu, qui garde en mémoire toutes les histoires et les traditions du clan.

La brise qui soufflait au-dessous du fromager planté par Marcial dans le patio de sa maison fut une récompense pour l'organisme du Conde, qui sentit aussi que l'incomparable café servi par le vieux réveillait un à un ses neurones endormis par l'alcool.

— De la *Zaranbanda,* c'est de la *nganga* de sorcier congo, mais aussi d'*Oggun lucumi,* ou *yoruba,* comme on dit maintenant. Oggun est le maître de la campagne et du fer, et est aussi saint Pierre, celui qui a les clés du ciel, en fer elles aussi, n'est-ce pas ? C'est pour ça que la *Zaranbanda* n'est pas de la magie authentique, mais un mélange créole, tu comprends ?

— Non, avoua le Conde en toute sincérité, tout en demandant à son cerveau clapotant de faire l'effort de comprendre et d'assimiler cette information.

— Bon, reprenons jeune homme... le *palo* est la religion des *Congos* et la *nganga* est le siège du mystère. *Nganga* signifie esprit de l'autre monde. Dans la *nganga,* on attrape un défunt pour qu'il soit l'associé d'un vivant et fasse ce que le vivant lui demande. La *nganga*, c'est du pouvoir qui s'utilise presque toujours pour faire le mal, pour en finir avec ses ennemis, parce que la *nganga* concentre les forces surnaturelles du cimetière, où sont les défunts, et de la campagne, où sont les *palos* et les esprits.

— Et ça, quel rapport avec une *nganga* ? demanda-t-il en montrant à nouveau le dessin sur la feuille.

— Ça c'est une signature de *Zaranbanda*, qu'on trace toujours au fond de la casserole en fer qui va recevoir la *nganga*. La signature est le siège de la fermeté, la base de tout le reste. Regarde bien : le cercle représente la terre et les deux flèches en croix sont les vents. Les autres croix sont les points du monde, qui sont toujours quatre. Ne cherche pas plus loin, cela veut dire *Zaranbanda*... mais ce qui est bizarre, c'est que cette signature ne s'utilise presque plus. Aujourd'hui, on met plus de flèches et de petits signes. Ce que tu vois là, c'est l'ancienne signature, des temps de la colonie...

— Et c'est vrai que l'on met des os humains dans les *ngangas* ?

— Bien sûr, sinon comment peux-tu avoir le mort ? La *nganga* peut contenir des milliers de choses, que ce soit de la *conga* pure ou un mélange créole comme la *Zaranbanda*, mais il faut toujours des os humains, et c'est encore mieux si c'est la tête, la *kiyumba*, qui est le siège des mauvaises pensées. Et puis il faut des *palos* ramassés dans la campagne, mais pas n'importe lesquels, des bâtons avec du pouvoir ; et aussi des pierres de foudre, qui ont déjà reçu du sang, et des os d'animaux les plus féroces possibles, et de la terre de cimetière, et du mercure pour que la *nganga* ne soit jamais tranquille, et de l'eau bénite si on veut faire le bien. Sinon, elle n'est pas baptisée et elle reste juive... mais si la *nganga* est *Zaranbanda*, comme lui est le chef des métaux, il faut alors une chaîne autour de la casserole et à l'intérieur il faut mettre une clé, une serrure, un aimant, un marteau et au-dessus la machette de Oggun... On abreuve tout ça de sang de coq et de bouc et ensuite on décore avec des plumes de toutes les couleurs.

Le Conde se sentit perdu dans un monde à côté duquel il avait toujours vécu mais dont il avait été infiniment éloigné. Ces religions, éternellement stigmatisées par les esclavagistes qui les jugeaient hérétiques et barbares, puis par les bourgeois qui y voyaient des affaires de nègres sales et stupides, et dans les derniers temps marginalisées par des théoriciens du matérialisme dialectique capables de les classer scientifiquement et politiquement comme des vestiges d'un passé que l'athéisme devait dépasser, prenaient aux yeux de Mario Conde le charme de la résistance. Les mystères de cet univers transposé depuis l'Afrique par des centaines de milliers d'esclaves avaient pris racine dans le pays, avaient survécu à tous les combats sociaux, économiques et politiques et étaient devenus partie intégrante de sa culture quotidienne ; *palos, santeros, abukuas* et *babalaos* marchaient dans les mêmes rues que lui, sous le même soleil, buvant le même rhum, mais porteurs d'une foi subtile et pragmatique que le policier n'avait pas et dont il se sentait incapable de comprendre les arcanes les plus profonds. *Zaranbanda congo,* c'est la même chose que *Oggun yoruba,* maître de la campagne, et la même chose que le saint Pierre chrétien, apôtre sur terre et gardien des clés du ciel ? La révélation de l'existence de ce mélange de religions contemporaines et antagoniques, les effets secondaires de la mauvaise cuite de la veille au soir et l'image d'un Chinois pendu dans un immeuble collectif de La Havane et marqué sur la poitrine d'une ancienne signature de *Zaranbanda*, tout cela formait un fatras dans sa tête douloureuse, d'où sortit, comme un petit serpent qui montre timidement sa tête (ou bien était-ce sa queue ?), une idée qui le fit frissonner.

— Marcial... et le maître de la *nganga* doit connaître le mort qu'il met dans la casserole ?

Le vieillard tira deux fois sur son cigare et sourit.

— Cela n'arrive presque jamais, parce que les gens d'aujourd'hui prennent n'importe quel mort... Mais c'est beaucoup mieux si on le connaît, parce que comme ça on peut choisir le mort que l'on veut. Donc, si tu veux une *nganga* juive, pour faire le mal, tu dois chercher un défunt qui dans la vie a été vraiment méchant... parce que l'esprit reste aussi méchant que ce qu'il a été pendant sa vie sur terre. Et parfois il est pire... C'est pour cela que les meilleurs os sont ceux des fous, et meilleurs encore que ceux des fous, ceux des Chinois, qui sont les types les plus enragés et rancuniers que l'on puisse trouver sur terre... J'ai hérité la mienne de mon père et elle a la *kiyumba* d'un Chinois qui s'est suicidé de rage parce qu'il ne voulait pas être esclave, et tu n'imagines pas les choses que j'ai faites avec cette *nganga*... et que Dieu me pardonne.

Durant ses années en tant que policier enquêteur,

Mario Conde était parvenu à apprendre plusieurs choses : par exemple que les affaires les plus difficiles étaient souvent celles qui avaient les solutions les plus triviales et que la lente routine policière est d'ordinaire plus efficace que les prémonitions et les préjugés, même s'il détestait tout l'aspect routinier et scientifique de son travail ; il avait aussi appris qu'être flic était un boulot sale, susceptible de laisser des séquelles : côtoyer jour après jour des assassins et des voleurs et des escrocs et des violeurs finissait par forger un regard sombre sur la vie et par donner aux mains une odeur de merde contre laquelle les meilleurs détergents ne pouvaient rien : c'est pour cela qu'il n'était presque jamais étonné qu'un flic se corrompe et accepte des cadeaux, pratique le chantage et offre sa protection à des délinquants prêts à la lui payer à n'importe quel prix. Il avait appris, à force de le pratiquer, que le chemin solitaire était le meilleur moyen de penser, surtout si l'on était un flic amateur de prémonitions et de préjugés, et non de la routine.

Avec toujours dans la bouche le goût amer de la dernière Duralgine qu'il avait ingurgitée et savourant la remise en service de ses neurones, à nouveau en condition pour réfléchir, il quitta Candito à l'embarcadère et marcha depuis la zone du port jusqu'au quartier chinois où il entra par Zanja. Il se sentait à présent sur un chemin plus assuré et il avait demandé à Manolo de rechercher dans l'ordinateur l'histoire de la banque sur les paris démantelée l'année précédente, tandis que lui-même s'était attribué la tâche non moins ardue de réfléchir, d'apprendre, de connaître.

Depuis que le vieux Alcides Varona lui avait confirmé

l'origine *congo* de l'étrange signe gravé sur la poitrine de Pedro Cuang et la possibilité que le doigt coupé ait eu pour objet une *nganga* juive, le Conde avait eu la certitude qu'un habillage aussi extraordinaire ne pouvait avoir pour but que de dissimuler une réalité beaucoup moins sophistiquée. Inutile de se fatiguer autant pour exécuter un délateur, si tant est que Pedro en était un ; il n'était pas non plus nécessaire de monter cette performance macabre si l'objectif était le vol ; et tout semblait encore plus illogique s'il s'agissait d'un rite religieux particulier : il y avait des os de Chinois dans le cimetière, et on pouvait les obtenir sans prendre la peine de pendre un vieux malheureux et un chien pelé. Donc, Pedro Cuang avait été assassiné pour un autre motif, beaucoup plus terrestre et concret, et l'histoire de la *Zaranbanda* et de sa *nganga* pouvait être seulement un rideau de fumée. Etait-ce la drogue qui s'était perdue dans le quartier ? Ou peut-être un secret que connaissait le vieux, lié au banquier Amancio, pour lequel il avait travaillé comme collecteur ?

Le Conde découvrit qu'à ces heures de la mi-journée, les rues du quartier étaient dépeuplées. Les Chinois fuyaient la chaleur et en leur absence, les devantures de portes où ils avaient l'habitude de s'asseoir le matin n'étaient plus les mêmes. Il se surprit à nouveau lui-même de tout ce qu'il ignorait au sujet de ces hommes qui avaient vieilli dans ces ruelles sordides et puantes ayant un jour formé l'un des quartiers chinois les plus peuplés de tout l'Occident, et il sentit de la pitié pour le déracinement brutal qu'avaient subi ces malheureux : ils avaient traversé la mer pour fuir la faim et la misère, le pouvoir absolu et l'enrôlement militaire forcé et ils avaient au bout du compte trouvé quelque chose d'aussi redoutable que ce qui les avait fait fuir : le mépris, l'incompréhension, l'abandon et même la mort dans des circonstances aussi horribles que celles dont avait été victime le cousin de Sebastian. Mais le plus douloureux était l'insurmontable déracinement, que même le succès économique remporté par quelques-uns ne pouvait adoucir. L'unique remède à tous ces maux avait été de maintenir une culture de ghetto, de répondre au mépris par le silence, à la moquerie par le sourire, au cri par la fermeture, et d'adopter cette philosophie de l'impassibilité apparente qui, au moins, aidait à supporter la vie. Mais étaient-ils aussi enragés et rancuniers que l'affirmait Alcides Varona ? Peut-être...

Le Conde se demanda combien de fois la police s'était cassé les dents face à ces mystérieux mystères (il s'autorisait la redondance) que provoquait la fermeture des Chinois. Il était en train de justifier un possible échec quand il pénétra à nouveau dans l'immeuble collectif au coin de Salud et Manrique et se dirigea vers la minuscule chambre de Pedro Cuang. Il ouvrit avec la clé qu'il avait décidé de garder et, sans allumer la lumière, il se laissa tomber sur une des chaises défoncées que l'homme assassiné avait laissées en héritage et il se sentit envahi par un sentiment insistant et familier : au bout du compte, la solitude n'était pas une invention asiatique. Combien de nuits s'était-il lui-même couché avec la prémonition qu'il ne verrait pas l'aube suivante et que son corps, seul et abandonné, demeurerait encore de nombreuses heures sur ce lit trop grand pour sa mélancolie. La solitude de Pedro Cuang, mort à côté de son chien, lui semblait une étrange métaphore de son propre abandon : tout ce qu'il voyait dans la chambre trahissait la négligence qu'entraîne la solitude. Triste héritage au terme d'une mauvaise vie... Et c'est alors qu'il la vit : sur le dessus du fourneau, bien bouchée, encore brillante et invaincue, à peine dissimulée par un paquet de vieux magazines. Le pressentiment était trop fort pour que le policier se trompe et il se demanda comment il ne l'avait pas vue les fois précédentes. Il se leva, fit levier avec un couteau ébréché, parvint à sortir le bouchon et renifla : bien sûr que oui, c'était du rhum. En fin de compte, il existe certaines choses à propos desquelles un homme ne se trompe jamais.

Le Conde ne s'arrêta qu'un instant pour calculer les conséquences de ce qu'il s'apprêtait à faire, mais se convainquit immédiatement que le meilleur remède à la gueule de bois était ce qu'il allait faire, et il le fit. Un clou en chasse un autre : il se rappela ce proverbe d'ivrognes et but au goulot une longue et délicieuse gorgée qui nettoya sa bouche du goût des comprimés, lui chauffa la gorge, réconforta son estomac vide et parvint même à caresser un bout du tsin. Merci, le mort, dit-il en guise de toast, et avant de boire à nouveau, il renversa quelques gouttes sur le sol. Pour San Fan Con, murmura-t-il, même s'il aurait aussi bien pu invoquer *Zaranbanda*, Oggun et saint Pierre, tous réunis dans la même marmite.

La bouteille à la main, il retourna à son siège et alluma une cigarette. La troisième lampée fut plus apaisante et précipita dans l'abîme tout sentiment de culpabilité. Merde, sans héritier désigné, Dieu sait où cette bouteille aurait fini...

Grâce au rhum, l'odeur de Chinois commença à se transformer en effluve avec laquelle il était possible de vivre et la bouteille subit son quatrième assaut. Si Candito me voyait, se dit-il en pensant à son ami, ce qui le fit sourire, il se sentait soudain près pour la Longue Marche. Pourquoi est-ce que t'on t'a tué, mon vieux Chinois ? C'était ton tao ? C'est pour ça que tu es revenu de Chine, mourir dans cette grotte puante ? se demanda-t-il en regardant la poutre du plafond où l'on avait pendu le vieillard et soudain, il sentit sa tête exploser et la bouteille de rhum lui échapper des mains.

Lorsqu'il put ouvrir les yeux, il regarda à nouveau la poutre, mais selon une autre perspective. Il ne savait pas exactement où il était ni ce qui était arrivé, mais sa première réaction fut typiquement celle d'un flic : il passa la main sous son corps et eut un soupir de soulagement en constatant que son pistolet était toujours là, entre la ceinture et la peau. Puis il se toucha le crâne, quelques centimètres au-dessus de la nuque et trouva la bosse causée par le choc. Il se souvint alors du remède que lui appliquait son grand-père quand il se cognait la tête et qu'il avait une bosse : il enveloppait une pièce d'un peso dans du papier épais, qu'il mouillait avec de l'alcool et du sel, et il frottait l'inflammation qui dégonflait lentement. Le plus agréable du remède était de passer la langue sur le papier, avec cette odeur particulière de sel et d'alcool blanc, qui dut être la cause de son éthylisme ultérieur.

Il fit un nouvel effort mental et comprit qu'il était sur

le lit de Pedro Cuang, la tête sur l'oreiller en bois. Celui qui l'avait frappé avait pris la peine de le déposer sur le lit, sans lui enlever son pistolet, qui était sans doute un objet de valeur au marché noir. Donc, ils ne cherchaient ni à le tuer, ni à le voler... Il regarda autour de lui et vit, à côté du lit, la bouteille de rhum qui avait déversé presque tout son contenu sur le sol crasseux mais où il restait un peu de liquide au fond. Sans se lever, il tendit le bras, récupéra la bouteille et leva un peu la tête pour vider ce qui restait entre ses lèvres. La puanteur envahissante du lit de camp le submergeait, mais le Conde décida de demeurer là quelques minutes, les yeux rivés sur les poutres du plafond, en attendant que sa tête, décidément bien maltraitée depuis la veille au soir, fût plus stable et plus solide. Il voulait réfléchir à ce qui était arrivé, mais il se sentait incapable de le faire, et en attendant, il profitait de la paix inattendue où son esprit était plongé ; elle l'enveloppait, le berçait tandis que son tsin flottait à la dérive, propre et parfumé, montant telle une vapeur éthérée vers les poutres du plafond, puis ses paupières finirent par retomber, vaincues par le sommeil. Avant de s'endormir, il se rappela qu'il était là parce qu'il devait élucider la mort d'un homme pour lequel personne dans tout l'Occident civilisé n'avait versé la moindre larme. Et s'ils l'avaient tué lui aussi ? Comme les morts sont seuls... Ce fut sa dernière pensée.

Quand il revint de nouveau à la vie, vingt minutes plus tard à peine, le mal de tête avait disparu, et il ne pouvait pas se souvenir s'il l'avait lu un jour ou s'il venait de le rêver : il avait vu un homme avec une tunique chinoise ensanglantée poursuivre une jeune fille nue avec de longues boucles d'oreilles de jade, et lui courait derrière eux et essayait de les prendre en photo avec un appareil sans pellicule, à l'instant où un autre homme, vêtu lui aussi avec des habits chinois, lui donnait un coup sur la nuque. Mais il sut qu'il se réveillait, mû par une certitude qui finit par le faire sauter du lit : sous l'une des poutres en bois qui traversaient le plafond, un bout de papier pointait son nez jaune.

— Enco'le ? s'étonna Juan Chion qui en oublia la révérence et même le sourire. Qu'est-ce qui t'a'llive, tu es malade ?

Le Conde entra, prit la main du vieux et le traîna presque jusqu'à la salle à manger.

— Assieds-toi là, sergent Chion, lui dit-il en prenant pour lui la chaise la plus proche. Lis ça.

Le vieux prit le papier que le Conde lui tendait. Deux rangées de caractères chinois, pâles et imprécis, recouvraient la surface jaunâtre du papier. Le vieillard l'observa et, tendant le bras, il chercha la distance la plus appropriée pour la lecture. Le Conde attendait en dévorant une cigarette.

— C'est étl'ange.

— Ça, tu me l'as déjà dit hier. Qu'est-ce qui est marqué ?

— Li Mei Tang. C'est le nom d'une pe'lsonne.

— Et quoi d'autre ?

— Conde, Conde. Li Mei Tang, t'loisième gauche, sixième d'loite, a'lble.

— C'est tout ?

— C'est tout.

— Et qu'est-ce que ça veut dire, vieux ?

— Je suis chinois, pas devin.

— C'est un plan, n'est-ce pas ?

— C'est toi le flic, Conde.

— Mais bordel, c'est un plan de quoi ?

Juan Chion sourit et pointa son doigt vers le Conde.

— Tu vois, Chinois pas fou'lmis. Chinois emme'l-dants et mysté'lieux.

— Trop mystérieux... et regarde ce qu'ils m'ont fait.

Le Conde inclina la tête et lui montra les traces du coup qu'il avait reçu.

— Et ça, Conde ?

— Je t'expliquerai après... Mais putain qu'est-ce que ça fait mal ! Tu as un remède pour ça ?

— Une petite pommade chinoise, qui soigne tout.

— Mets m'en un peu, il faut que je sorte et que je trouve celui qui m'a fait ça, parce que je suis sûr que c'est le même qui a tué Pedro Cuang... et maintenant je suis sûr qu'il l'a tué parce qu'il voulait lui soutirer ce qu'il y a sur ce papier.

— Regarde, dit Manolo en posant la chemise en carton sur le volant de la voiture. – Le Conde l'avait attendu au coin de Maloja et Infanta, à trois rues de la maison de Juan Chion et le sergent s'était garé à l'ombre de l'unique arbre existant dans cette partie de l'avenue. – En mars de l'année dernière, un flic, pure routine, a demandé ses papiers à un type qui lui semblait suspect, au coin de Zanja et Lealtad. Le type est devenu nerveux et le flic, après avoir vérifié sa carte d'identité, a demandé à voir ce qu'il transportait dans une sacoche qu'il tenait à la main et l'homme est parti en courant. Bon, on l'a attrapé et on a trouvé sur lui plusieurs listes avec des noms et des numéros : une banque clandestine qui jouait au loto vénézuélien. Un coup de filet a été lancé et trois banquiers sont tombés, mais on n'a retrouvé que l'argent ramassé le jour même et la chose s'est compliquée par la suite : le responsable de l'affaire était un certain Amancio Valdés, qui a eu un infarctus et est mort trois jours après son arrestation, et les deux autres ont raconté que c'était Amancio qui gardait l'argent. Le procès a eu lieu et les banquiers ont pris deux ans pour jeu illicite et le parieur quatorze mois, mais on n'a jamais retrouvé un centime de plus. Voilà tout ce qu'il y a à propos de cette histoire, sans compter ce que l'on peut imaginer : Pedro Cuang est parti en Chine quand les problèmes ont commencé et il est revenu quand Amancio Valdés est mort. Même le café qu'on vend au coin de chez moi n'est pas plus clair.

— Et les types sont toujours en prison ?

— Affirmatif.

— Et la famille de l'un d'entre eux a dépensé de l'argent, fait des achats ?

— Négatif.

— Et qu'est-ce qu'on sait d'autre sur Amancio Valdés ?

— Rien que des choses positives : jusqu'en 1959, il a eu un tripot dans le quartier chinois, avec une blanchisserie comme couverture. Si jamais c'était celle où avait travaillé Pedro Cuang...

— Tu as aussi vérifié ça ? interrogea le Conde. Je te préviens que si tu me réponds « affirmatif », je t'envoie au diable.

Manolo eut un sourire et referma le dossier.

— Ne sois pas si pressé... Eh bien oui, il y a travaillé trente ans, avant de prendre sa retraite en 1968. Mais j'ai gardé le meilleur pour la fin, annonça-t-il avant de faire une pause qu'il prolongea tandis que la tension de son chef montait. Le médecin légiste dit que Pedro Cuang a eu une hémiplégie et qu'ils l'ont pendu après. Il semble qu'ils ne voulaient pas le tuer mais après son attaque, ils ont peut-être eu peur et pensé qu'il valait mieux lui fermer la bouche une bonne fois pour toutes.

— Bien sûr qu'ils ne voulaient pas le tuer... Le vieux était le moyen d'arriver à l'argent d'Amancio.

Mario Conde observa la rue où s'élevait le spectre transparent de la chaleur. Il regretta que son cerveau, trop saturé d'alcool, de coups et d'informations variées ne puisse fonctionner à la vitesse nécessaire. Mais il se lança sur l'unique chemin qu'il avait devant lui. Il tira le papier jaune avec les caractères chinois de la poche de sa chemise et le tendit à son collègue.

— Manolo, je te paie un repas si tu me dis maintenant ce que veut dire Li Mei Tang, troisième à gauche, sixième à droite, arbre ?

Le sergent leva les yeux du papier et regarda fixement son chef. Quand il fixait un point rapproché, son œil gauche larguait les amarres et essayait de se planquer derrière l'arête du nez.

— Arrête de loucher, et réponds-moi.

— C'est un plan, non ? D'un endroit où il y a un arbre, où il y a un chemin qui va à gauche et ensuite un autre qui va à droite et qui a quelque chose à voir avec quelqu'un qui s'appelle Li Mei Tang, non ?

Le Conde l'écouta et se mit à sourire.

— Putain, merde, mais tu es un vrai petit génie.

Manolo, dans l'espoir de comprendre la blague du lieutenant, sourit lui aussi.

— Déconne pas, Conde.

— Je déconne pas, collègue. Allez, fais demi-tour, on va chercher Juan. Cela doit être la tombe d'un certain Li Mei Tang au cimetière chinois. Mon doigt à couper.

Manolo essayait de s'expliquer avec le gardien, mais l'homme insistait sur le fait que c'était l'heure de fermeture du cimetière et que personne ne pouvait entrer et encore moins sans un ordre de l'administrateur, et qu'en plus il était l'heure pour lui d'aller chercher les restes d'une cantine qu'on lui gardait pour nourrir son cochon et qu'il n'allait pas se laisser compliquer la vie à cette heure-ci, ni par la police, ni par personne. Profitant des grands discours du fossoyeur, le lieutenant Mario Conde et le vieux Juan Chion entrèrent mine de rien et remontèrent l'allée centrale, comptèrent trois allées, tournèrent à gauche, marchèrent entre les tombeaux et à la sixième allée, en prenant à droite, ils trouvèrent, sous un très vieux saule pleureur, ce qu'ils étaient venus chercher : LI MEI TANG (1892-1956), gravé en lettres dorées sur une plaque de granit rouge. La tombe de Li Mei Tang montrait qu'il s'était agi d'un homme important. Mais le défunt semblait ne plus avoir reçu de fleurs depuis d'innombrables années. Sa pierre tombale était couverte de poussière et les anneaux de bronze y avaient laissé leur empreinte verte.

— C'est la pure vérité : nous sommes bien seuls, nous autres morts, n'est-ce pas, Juan ?

Le vieux le regarda.

— Pas tous les mo'lts, Conde. Li Mei Tang a sû'lement de la compagnie, tu ne c'lois pas ?

— Tu sais que la tombe d'un Chinois n'est pas un bon endroit pour cacher quelque chose ? Les gens croient qu'on vous enterre avec des bijoux et de l'argent, mais le pire c'est que les sorciers prétendent que les meilleurs ossements sont ceux des Chinois.

— C'est ce que je dis, voilà à quoi se'lvent les Chinois. Même à la so'lcelle'lie cubaine.

Le Conde regarda dans la direction où Manolo discutait avec le gardien puis respira le calme indésirable du cimetière. Il sentit, comme cela lui arrivait souvent, que sa mort pouvait être une chose tangible et proche et il eut envie d'être loin de cet endroit. L'hypocondriaque qui sommeillait en lui était en train de se réveiller et il savait que ces réveils se terminaient toujours par la dépression et la mélancolie. Oui, vraiment, ils restent seuls, se dit-il en allumant une cigarette.

— Donc, voilà notre homme, soupira Manolo en arrivant avec le gardien qui à présent tournait autour de la tombe et la reconnaissait, comme s'il avait été un chien de chasse.

— Et d'après vous, qu'est-ce qu'il y a là-dedans ? interrogea l'homme, intrigué.

Le Conde, sans le regarder, dit à Manolo :

— Appelle le commissariat pour leur demander de l'aide. Et qu'on garde quelques restes pour le cochon du camarade...

Le visage du fossoyeur se détendit ostensiblement. Nourrir son porc devait être une de ses tâches quotidiennes les plus difficiles et l'on pouvait être sûr qu'il calculait jour après jour la quantité de viande et de graisse qui s'accumulait sous la peau de l'animal, qui le jour de son sacrifice lui rapporterait deux choses longtemps désirées : de la nourriture et de l'argent.

— Si ce n'est que cela, ne vous en faites pas, moi je vous ouvre et comme ça je peux partir tout de suite, se proposa le gardien.

— Mais il faut aussi chercher dans ce buisson. Il y a une raison s'ils l'ont marqué sur le plan et je ne crois pas que quiconque cache quelque chose dans la tombe d'un Chinois.

— Avec une pelle, moi je peux che'lcher, s'offrit cette fois Juan Chion et le Conde se dit : je suis cerné. Mais il y avait toujours un moyen de s'échapper.

— Alors, au travail... Moi je vais acheter des cigarettes là-bas en face et je reviens tout de suite, et sous les yeux compréhensifs de Manolo, le Conde s'enfuit du cimetière.

Il traversa la rue en direction de la cafétéria et vit tout de suite que le bar était fermé. Il n'était guère plus de cinq heures de l'après-midi et il se dit que c'était la meilleure heure de la journée pour boire un verre. Encore un ? Oui, un autre lui aurait peut-être fait le plus grand bien. Quel désastre. Il entra dans la cafétéria et lut, sur l'immensité arrogante de l'ardoise : CIGARETTES POPULAIRES, CAFE. Et dans un coin, écrit à la main, un petit papier qui proposait de l'eau avec cette précision sans appel : *non fraîche*, et il observa, de l'autre côté, la glacière endormie du bar. C'est sans remède, se dit-il. Il demanda les cigarettes et hésita sur le café. J'ose ? Il osa et le regretta. Le café supposé lui laissa sur la langue un goût de cuisine douceâtre et des grains de boue pratiquement impossibles à cracher.

Il sortit sur le porche de la cafétéria et regarda vers le cimetière chinois. La grille empêchait de voir ce que faisaient les autres et seuls le tronc et les branches fatiguées du saule pleureur lui permirent de situer la tombe de Li Mei Tang, où devait se trouver, éventuellement, quelques ossements, un cercueil pourri, mille rêves oubliés et un secret qui valait cher, capable de coûter la vie d'un homme. Il alluma une cigarette et regarda les autos qui passaient dans la rue. Quel pouvait être ce secret ? se demanda-t-il sans chercher plus avant une réponse, car il se dit que la personne capable de pendre et de mutiler Pedro Cuang savait que le Chinois était en relation avec la banque sur les paris et devait être l'exécuteur testamentaire de la fortune disparue du banquier Amancio, à qui il était sûrement lié par une vieille amitié. En plus, le signe fatal de la *Zaranbanda* le désignait comme quelqu'un qui connaissait des secrets de vieux sorciers, même si cela lui semblait de moins en moins authentique... Et pourquoi l'avaient-ils frappé lui, sans lui prendre son pistolet ? Peut-être avaient-ils seulement vu entrer quelqu'un et en avaient-ils profité pour fouiller de nouveau ? Ou peut-être s'agissait-il juste d'une précaution : un intrus pouvait tomber sur ce que l'assassin n'avait pas trouvé. Mais si seulement... Non, non, se dit le Conde et il s'arrêta : ils ne m'auront pas, conclut-il, persuadé qu'on ne cherchait qu'à brouiller les pistes en les multipliant, en plus après avoir pendu un homme déjà moribond qui n'avait pas révélé la cachette avec le plan du cimetière. Mais c'est quelqu'un du quartier, ça oui, et je crois que celui-là, je vais me le faire. Il jeta son mégot dans la rue et aspira à plein poumons – et à plus de la moitié du *tsin* – l'oxyde de carbone rejeté en gros nuage par un autobus. Et, tout en mourant d'envie de s'en aller, il traversa l'avenue et reprit le chemin de la tombe où l'on violait le repos des défunts.

En le voyant, Juan Chion lui cria : « Cou'ls, cou'ls, cou'ls », mais il ne courut pas. Il avait le temps de voir le cercueil de Li Mei Tang, où ne restaient que quelques os peut-être inutilisables pour les *ngangas* (des côtes et des vertèbres), et surtout de s'émerveiller devant le coffret métallique extrait par Juan Chion des racines du vieux saule pleureur : des chaînettes, des bracelets, des bagues, des boucles d'oreilles et des pièces d'or offraient leur brillant unique et illuminaient l'intérieur de ce coffre qui avait coûté la vie à Pedro Cuang.

Rufino tournait paisiblement dans son bocal. Ses redoutables nageoires de poisson de combat agitaient doucement l'eau et impulsaient cette danse circulaire qui ne s'achèverait que par la mort de l'animal. Eh oui, nous en sommes tous là, Rufo, lui dit le Conde : toujours à faire des tours dans l'eau sale, jusqu'à ce qu'on claque. Il s'assit sur son lit et laissa le pistolet à côté du bocal. Ne le touche pas, il est chargé, lança-t-il au poisson, avant de se frotter les yeux. Deux jours plus tôt, il s'était promis de ranger et de nettoyer la maison à son retour, mais à présent les forces lui manquaient pour un exploit pareil. Il contempla la tour de livres qui s'étaient entassés sur une chaise dont la fonction originelle dans la chambre, avant que cette dernière femme dont il ne voulait même pas se rappeler le nom ne le quitte, avait été de servir de support pour la scène finale de l'acte amoureux. A présent sur cette chaise complice reposaient les livres qu'il lisait et relisait. Cela faisait un certain temps qu'il revenait toujours aux mêmes livres : il en connaissait les personnages mieux que toutes les personnes qui l'entouraient et il ressentait un plaisir étrange à vérifier que d'une lecture à l'autre, leurs vies avaient à peine changé. Dans l'autre vie, tout changeait, et presque toujours pour le pire... Chacun de ces livres représentait ce que, en d'autres temps, il aurait voulu lui-même écrire. Mais à présent, il ne songeait plus guère à cette vocation avortée. Il préférait vivre en parasite d'autres écrivains qui savaient bien le faire. *Islas en el golfo*, lut-il au dos de l'un des livres, *Fiebre de caballos*, *Conversation dans la cathédrale*, *Le Siècle des lumières*, il en resta là...

Dans la cuisine, le Conde prépara la cafetière et la posa sur le réchaud. Il avait faim, mais il se savait incapable de cuisiner quoi que ce soit. Quoi, d'ailleurs ?... à part sortir dans la rue et chasser un chien chinois. Le danger, il le savait bien, étaient les cauchemars que la faim déclenchait souvent chez lui. Il but son café en regardant par la fenêtre et sans le vouloir pensa à cette dernière femme qui avait été chez lui : Karina. Karina était belle, elle avait les cheveux roux et savait jouer du saxophone. Avait-elle été une femme pour de vrai ou l'avait-il inventée pour adoucir la solitude ? A ce stade-là, il ne savait plus, mais il lui semblait se rappeler qu'il n'avait jamais fait l'amour comme il l'avait fait avec cet être fugace, qui s'était perdu dans la nuit et la brume. Il lança le mégot par la fenêtre et envoya Karina au diable... Cette femme l'avait démoli d'une façon aussi cruelle que brutale. Ça t'apprendra, pauvre con, à tomber amoureux, se reprocha-t-il.

De retour dans la chambre, une fois sur le lit, il se dit qu'il aimerait dormir et faire le rêve de Chuang Chou, ce Chinois qui dormait en rêvant qu'il était un papillon qui en volant s'emplissait de plaisir. Dans le rêve, l'homme ignorait qu'il était Chuang Chou, mais au réveil il redevenait le vrai Chuang Chou et il ne savait pas s'il était un papillon qui avait rêvé d'être un homme ou s'il s'agissait d'un papillon masochiste qui avait rêvé d'être flic. Tout en songeant à la fable, il sentait descendre dans son organisme toutes les fatigues, tous les excès et les coups de ces deux derniers jours et il s'endormit. Alors il rêva pour de vrai. Il rêva que Patricia la Chinoise était la femme aux boucles d'oreilles de jade et qu'elle s'approchait de lui, le caressait et le laissait saisir entre ses lèvres ses petits seins, aux pointes agressives et douces comme des prunes, tandis que ses doigts caressaient ses cuisses interminables et remontaient pour se perdre dans la fourrure drue du sexe, un héritage du sang noir de sa mère. Derrière le buisson de poils, le Conde parcourait le sillon qui descendait vers un puits profond et mousseux, dévorant, où pénétrait sa main, son bras puis tout son corps, aspiré par un implacable tourbillon. Il se réveilla à l'aube, avec une tache humide et visqueuse entre les jambes et le cœur battant à tout rompre. Il repoussa l'idée de se nettoyer et se rendormit, et quand un rayon de soleil sur la figure le réveilla, il dut faire un effort pour se rappeler pourquoi son caleçon était durci et sentait le Chinois mort. .

Le gros Contreras le vit et eut un sourire. Dernièrement, son arrivée mettait tout le monde de bonne humeur, se dit le Conde, et il tendit la main vers son supplice : l'un des divertissements du capitaine Jesús Contreras, chef de la section du trafic de devises, était de décharger la pression de ses cent vingt kilos dans une poignée de mains.

— Le Conde, le Conde, dit-il comme d'habitude quand il écrasait les doigts du lieutenant et il le traîna par la main pour le faire passer dans son bureau, tout en riant. Alors, il paraît que tu as besoin de me parler ?

– J'ai un Chinois mort sur le dos, Gros.

— Ah, moi je connais un *babalao* qui fait merveille pour te débarrasser des morts et des esprits moqueurs. Imagine que le type est tellement fort qu'il y a des gens qui viennent de l'extérieur pour le consulter et qui paient la magie en dollars... A dire vrai, c'est un type un peu bizarre, vu qu'il est russe d'origine juive, et qu'il est devenu *babalao* ici à Cuba. Qu'est-ce que tu en dis ? Evidemment, c'est le gouvernement qui établit les contrats avec les étrangers et il paie le *babalao* en pesos cubains... ha, ha, ha. Qu'est-ce que tu en dis ? Bon, dis-moi, pour quand veux-tu un rendez-vous ?

— Arrête tes conneries, Gros, moi je suis encore plus

fort et j'ai un *babalao* personnel et *abakua*, meilleur que le tien...

— Et il se fait payer en dollars ?

Le Conde prit un siège devant le bureau du capitaine Contreras et observa la pièce.

— Tu n'offres plus le café aux gens qui t'aiment ?

Contreras eut un rire, mais l'explosion fut de courte durée.

— Du café, et puis quoi encore ? Tu ne savais pas qu'en haut ils ont réduit les rations et que je n'ai plus de café, hein ? Tout en parlant, il fit le tour de son bureau et se laissa tomber dans son fauteuil. Le Conde se demandait toujours la même chose – comment ce pauvre fauteuil fait-il pour résister ? – tout en observant le spectacle mis en scène par le Gros pour lui offrir du café. Mais regarde si moi aussi je ne t'aime pas, poursuivit ce dernier, et il ouvrit un tiroir du bureau et remua ses grosses mains comme le prestidigitateur au-dessus du chapeau : il tira un verre de café et le tendit au Conde.

— Putain, qu'il est chaud, dit le Conde, comme s'il était surpris.

— Ecoute, mon garçon, j'ai fait un tel ramdam que, pour me faire taire, le major Rangel m'en envoie un verre chaque fois qu'on lui filtre du café, parce que lui, on lui a maintenu sa ration... question de hiérarchie, non ? et il lâcha les amarres de son rire. Son double menton, ses seins et sa bedaine de tonneau sans fond dansèrent au rythme sonore de son éclat de rire.

— Tu ne te laisses jamais abattre, Gros.

— Et tu sais parfaitement qu'ici, il y a des gens qui

n'arrêtent pas de dire des saloperies sur mon compte. Toi non, parce que toi, tu m'aimes, pas vrai ?

— Moi, écoute, je vais te le dire : c'est un fait que je ne peux pas vivre sans toi, je te jure.

— Bien sûr, c'est pour ça que tu es là. Bon, dis-moi, où est-ce que tu as mal ?

Le Conde alluma sa cigarette et demanda au capitaine Contreras un informateur.

— Quelqu'un qui connaisse toutes les histoires du quartier chinois, Gros, celles qui se passent et celles dont on parle, et je sais que tu as forcément quelqu'un.

— Ah, oui ? Tu crois que c'est aussi facile, hein ?

— Aide-moi, Gros, c'est un vrai sac de nœuds, et regarde ce qu'ils m'ont fait hier.

Le Conde tourna la tête pour montrer à Contreras l'hématome qui s'était formé à la base du crâne.

— Ils n'y sont pas allés de main morte.

— Mais ils n'ont pas voulu me voler mon pistolet. Tu comprends ça ? Au jour d'aujourd'hui, combien vaut mon pistolet ?

— En location, chargé avec huit balles, cent pesos par jour. En vente, ça doit valoir dans les trois mille, dernièrement la demande est forte.

— Donc, on peut aussi les louer... Eh bien tu vois, ça, je ne le savais pas. Il faut que tu m'aides, Gros.

— Tu me l'as déjà dit.

— Et je te le redis : aide-moi, collègue.

— C'est bon mon garçon, je vais te donner le meilleur indic dont je dispose dans le quartier chinois. Mais fais bien attention à lui : le Bambou vaut un million de pesos.

De toute évidence, le Bambou devait lui aussi avoir quelque chose de chinois et c'était pour ça qu'on l'appelait le Bambou. Surtout quand il riait : ses yeux formaient deux sillons profonds sur son visage, comme deux piquets symétriques qui avaient quelque chose de sinistre et de morbide. A part ça, il n'avait pas l'air chinois. Il portait une coiffure rasta avec des petits nœuds, à la mode chez les voyous vingt ans plus tôt, et sur la peau sombre de son bras gauche luisait un tatouage qui disait : *Eva, à en mourir*. Son sourire dévoilait deux étincelantes dents en or, comme des réflecteurs jaunes. Laisse-le rire autant qu'il voudra, l'avait averti Contreras, la vérité c'est qu'il est mort de trouille dès qu'il voit un flic. Le Bambou avait trente ans, dont douze passés en prison. D'abord un vol à main armée ; puis un trafic illégal de devises pour lequel il était tombé entre les mains du capitaine Contreras qui l'avait bien travaillé et fini par le dresser. Il va t'attendre à onze heures chez sa sœur, au Cerro.

Quand le Conde lui montra sa carte de lieutenant enquêteur, le Bambou explosa de son rire narquois, comme c'était prévu.

— C'est ton ami Contreras qui m'envoie, lui expliqua-t-il, et l'homme le fit entrer. La sœur vivait dans un ancien magasin de la rue Cruz del Padre, dont la loi d'expropriation d'abord, et la nécessité ensuite, avaient inversé le destin pour le convertir en logement obscur et sans âme. Une pièce, une cuisine et une salle de bains, remarqua le Conde avant que le Bambou n'avertisse à voix basse la femme qui était en train de faire la cuisine :

— Je n'y suis pour personne, Cacha, et il indiqua au policier l'échelle du grenier où ils avaient installé la chambre. Le Conde eut l'impression de se retrouver dans une caverne préhistorique. Mais pourquoi ai-je des idées pareilles ? se dit-il, et il monta et se retrouva dans une ambiance inattendue : des équipements électroniques en tout genre et pour tous les goûts brillaient dans cette chambre improvisée, qui trahissait des moyens économiques inattendus et une solide protection pour certains commerces interdits.

Le Bambou lui offrit un fauteuil et s'assit lui-même au bord du lit.

— Vous allez finir par me griller, lieutenant. Contreras pressionne. Et l'atmosphère est irrespirable ces jours-ci.

— Il n'y a pas d'embrouilles. Personne ne m'a vu.

— Ici, tout le monde voit, et la rue est terrible.

— Ne t'en fais pas, ne t'en fais pas, dit le Conde qui voulait le rassurer. Il pouvait sentir la peur de cet homme d'aspect féroce qui avait commis l'imprudence de signer un pacte avec le diable.

— Les flics ne lâchent jamais, dit l'autre en acceptant la cigarette que lui offrait le Conde. – Il chercha un cendrier et le posa par terre, à la portée des deux. – Si quelqu'un pige que je cafte pour vous, j'ai droit à un aller simple pour le ciel, vous savez ça ?

— Je peux l'imaginer... mais j'avais besoin de te parler aujourd'hui même.

Le Bambou regarda ses ongles : des ongles longs, épais, d'un jaune ocre et taillés comme des rasoirs.

— Et qu'est ce que vous me voulez maintenant ?

— C'est facile. Tu as entendu parler du Chinois qu'on a retrouvé pendu dans l'immeuble de Salud et Manrique, à trois rues de chez toi ?

— Oui, ici tout se sait.

— C'est pour ça que je suis ici. Qu'est-ce qu'on en dit dans le quartier ?

Le Bambou tira sur sa cigarette avant de répondre :

— Ben... rien. Qu'on lui a bien serré le cou.

— Je crois que ce n'était pas leur intention, mais que ça a dérapé. Ils cherchaient quelque chose, et apparemment ils ne l'ont pas trouvé, parce qu'ils sont revenus... Le Chinois avait un rapport avec la coke qui s'est perdue dans le quartier ?

— Non, à mon avis, non. La came a disparu du quartier il y a bout de temps, vu que tout ce qu'on trouve en ce moment, c'est de la marihuna... et ceux qui vendent aux touristes sont désespérés...

— Mais les gens ici disaient que le Chinois avait le fric d'Amancio le banquier. C'est vrai ? Qu'est-ce qu'il s'en dit, au juste ?

Le Bambou était nerveux. Il écrasa sa cigarette à moitié fumée. Le Conde savait que cet homme avait un passé de violence et d'agressivité, mais à présent, voyant comment ses mains tremblaient à l'idée d'être découvert par d'autres violents agressifs de son espèce, il eut pitié de lui. Je suis trop tendre pour toute cette saloperie, se dit le flic.

— Vous autres, vous laissez jamais quelqu'un en paix...

— Arrête et dis-moi... Ecoute bien : il vaut mieux avoir deux amis qu'un seul, et moi je sais être reconnaissant.

Le Bambou respira un grand coup et se lança dans le vide.

— Bon, il y a un mois à peu près, au domino qui s'organise à côté du salon de coiffure de San Nicolas, j'ai entendu un bruit. Ce truc, que le Chinois avait l'oseille d'Amancio le banquier.

— Bien, bien. Qui en a parlé ?

— Personne, il y avait des truands du quartier qui étaient en train de boire des coups...

— Tourne pas autour du pot, Bambou. Dis-moi qui.

— Panchito. Mais il racontait des conneries. Il s'était envoyé un cylindre.

— Un cylindre ?

— Un joint, un cigare, un pétard d'herbe...

— Qui est Panchito ?

— Panchito Chiu, il vit là-haut, du côté de Lealtad. Mais ce type est un diseur de conneries professionnel. Il se trimballe toujours avec un couteau chinois et raconte qu'il est karatéka huitième dan...

— Karatéka ? insista le Conde en tâtant sa nuque encore douloureuse.

— Oui, il passe sa vie à raconter des cracks pour que les gens aient la trouille, et maintenant il s'est lancé dans la sorcellerie et il passe ses journées à raconter que Siete Rayos le protège, et toutes ces conneries, mais le type...

— Je transmettrai ton bon souvenir au capitaine Contreras, dit le Conde en se levant. Il ne savait pas comment prendre congé. Dois-je le remercier ? se demanda-t-il. Merci pour tout, dit-il finalement, et il faillit serrer la main du Bambou mais il préféra s'abstenir : les mains de l'indic tremblaient et elles devaient être moites.

A présent, il mesurait l'ampleur de son erreur : il n'aurait jamais dû forcer Juan Chion à se mêler de cette histoire. Il sortit dans la rue et ne fut même pas gêné par la clarté du soleil ni par la dernière image du Bambou qui caché derrière la porte tandis qu'il sortait, regardait le sol ; il se sentait comme s'il avait violé une tombe qui n'aurait jamais dû être touchée. Il traversa l'avenue du Cerro où Manolo l'attendait avec la voiture. Il était rare que l'élucidation d'une affaire le réjouisse. Au contraire même : un sentiment d'estocade terminée et un vide qu'il savait éphémère. Une autre histoire sordide l'attendait toujours au prochain coin de rue. Il tourna réellement au coin de la rue et leva la main en faisant le V de la victoire en voyant Manolo : l'assassin du malheureux Pedro Cuang ne resterait pas longtemps à l'air libre parce que, si ce n'était pas le nommé Panchito, ils remonteraient grâce à lui à la queue – ou à la tête ? – du serpent. Et si, comme il le pensait, c'était ce même Panchito, le filleul de Juan Chion ?

— Je crois qu'on est dans la merde, dit-il au sergent en montant dans la voiture. On va voir Juan Chion.

Manolo démarra et tourna à gauche pour longer le stade.

— Comment ça s'est passé ?

— On racontait dans le quartier que Pedro Cuang avait l'héritage d'Amancio et il y a un certain Panchito Chiu qui était intéressé par l'argent du vieux. En plus, le type est dans la magie et il sait forcément ce que c'est que la signature de *Zaranbanda*... Et tu crois pas que ça fait beaucoup de coïncidences si je te dis que Panchito Chiu est le fils de Francisco Chiu, et que l'ombre qu'on a vue quand on a été au siège de la Société était la sienne ? Je crois que la plaisanterie de marquer le vieux Pedro et de lui couper le doigt va lui coûter cher. Un châtiment divin pour lui apprendre à jouer avec la *Zaranbanda*, tu ne crois pas ?

Manolo passa devant l'entrée du stade. Le Conde regarda par l'une des ouvertures entre les gradins et eut la vision fugitive du gazon vert, tranquille, vide à cette heure. Le championnat était terminé depuis deux semaines et il avait encore mal de la défaite inexpliquée de son équipe, qui s'était effondrée dans la série finale après avoir occupé la première place pendant tout le championnat. Ils auraient dû gagner, les pédés, se dit-il en se rappelant combien le Flaco avait souffert de ce désastre où trois mois d'illusions soutenues étaient parties en fumée. Des couilles ! C'est des couilles qui leur manquent ! avait crié Carlos, et il avait parfaitement raison : tout se réduisait à une question de couilles (ou plutôt d'absence de couilles). En arrivant 19 rue de Mayo, le Conde regarda Manolo :

— Combien d'empreintes utilisables y avait-il dans la chambre de Pedro Cuang ?

— Sept.

— Si on retrouve celles de Panchito, on n'aura même pas à le cuisiner. Tu veux que je te dise une chose ? J'espère qu'il y était pas. Même si je dois passer une semaine de plus sur cette affaire, même si je dois apprendre à parler chinois, à manger avec des baguettes et si je dois faire la Longue Marche... Pourvu que ce ne soit pas lui. Pour le vieux Juan...

Ils prirent Ayestaran et après le feu de Carlos III, Manolo tourna à gauche et ils arrivèrent rue Maloja. La maison de Juan Chion était toujours là, écrasée entre ses voisines, jusqu'à ce que la mort les sépare.

Tandis que le Conde frappait à la porte, le sergent Manuel Palacios répétait le rite invariable consistant à dévisser l'antenne de la radio pour la mettre à l'intérieur de la voiture. Laisse-le faire, Conde, ce ne sont pas tes affaires, se dit-il et il attendit le visage souriant de Juan Chion.

— Ah ! la police, dit le vieux en les invitant à entrer.

— Pourquoi es-tu en sueur, Juan ?

— C'est l'exe'lcice, Conde. Toi aussi tu dev'lais fai'le un peu d'exe'lcice, non ? L'ega'lde, tu es maig'le mais tu as du vent'le.

— Et j'ai aussi des nouvelles... des mauvaises, je crois. Il fit une pause avant de se lancer : il semble que Panchito Chiu, le fils de ton compère, soit impliqué.

Juan Chion regarda le Conde puis Manolo. Toute trace de sourire avait disparu de son visage et la sueur dégoulinait lentement vers son cou. Le vieux se laissa tomber sur son siège désarticulé et soupira, comme s'il avait été profondément amoureux. Un amour douloureux, se dit le lieutenant.

— Tu vois, Conde, pou'lquoi je ne voulais pas ? Chinois fai'le malheu'l chinois, affirma-t-il, et il se leva pour se diriger vers l'intérieur de la maison. Le Conde remarqua alors la photo qui depuis toujours trônait sur la petite table centrale : Juan Chion n'avait pas encore de cheveux blancs et souriait de tout son cœur à l'objectif. Il avait dans les bras une fillette de deux ans, avec des yeux bridés soulignés au crayon. Elle avait un petit costume brillant de princesse orientale et seule la couleur de sa peau, cannelle claire, pouvait faire douter de ses origines asiatiques. A côté de Juan Chion et de la fillette, il y avait une femme qui tenait dans ses mains la coiffe qui devait compléter le costume de son altesse. C'était une noire très belle, aux hanches larges et aux jambes comme deux colonnes et elle souriait elle aussi à l'objectif. Cette estampe aurait pu s'appeler *La Félicité*.

Juan Chion revint avec l'une de ses pipes à la main. Il reprit son siège et dit :

— Le malheu'l appelle le malheu'l. Chinois ne doit pas se mett'le où il n'a l'ien à fail'e. J'ai app'lis ça il y a mille ans. Et il ferma les yeux pour fumer. Il ôta la pipe de ses lèvres et la fumée s'échappa lentement de sa bouche, comme si elle l'abandonnait pour toujours. Le Conde se sentait exclu de la douleur du vieux Juan Chion et se dit que telles étaient les gratifications que lui apportait son travail. Travail de merde, se dit-il, et il regarda à nouveau l'image de *La Félicité*.

Le Conde fut à peine surpris de la première révélation de Juan Chion : son voyage à Cuba avait été financé par son vieil ami Francisco Chiu, qui avait acheté les autorisations et le billet sur le bateau pour qu'il puisse échapper à la misère agressive de Canton et commencer une nouvelle vie, meilleure peut-être, sur celle île de la lointaine mer Caraïbe. Entre Chinois, un geste pareil avait une valeur éternelle, car c'était un défi du destin individuel et, en même temps, cela engendrait pour chacun des protagonistes une responsabilité et une obligation qui duraient le reste de leur vie : Francisco devenait comme le père de Juan, et ce dernier devait une gratitude éternelle à son bienfaiteur. Mais l'amitié entre les deux hommes avait été beaucoup plus qu'une obligation sociale ou morale, beaucoup plus que l'affinité d'être né dans le même village des environs de Canton, d'avoir joué dans la même rivière aux eaux troubles et de se savoir les descendants des guerriers qui avaient combattu avec Cuang Con. C'est pour cela qu'ils avaient ensuite voulu sceller cette amitié au travers des baptêmes croisés de leurs enfants cubains. Car il était le parrain de Panchito, comme Francisco était celui de Patricia, et pour eux cet engagement devant un Dieu nouveau mais accepté avait une signification claire : le parrain est le deuxième père, et c'est ainsi qu'ils se l'étaient juré cette après-midi, au sortir d'une église de La Havane, s'engageant ainsi à répondre de l'enfant de l'autre s'il advenait quelque chose à l'un d'eux. Mais c'était la mère de Panchito qui était morte d'abord, et son père, qui travaillait sans cesse au magasin, avait à peine pu s'occuper du gamin qui avait grandi dans la rue, sans les avantages qu'avait eus Patricia. Et c'est ce qui tourmentait le plus le vieux Juan Chion : qu'il soit le père de Patricia, que sa mère avait élevée dans la droiture et la tendresse, pendant que son second fils sur terre, Panchito Chiu, n'avait pas eu cette chance. Et maintenant, pour comble de malheur, il était intervenu dans le lamentable dénouement de cette histoire... Le Conde se souvint alors de la philosophie du tao et des chemins des hommes dont lui avait parlé Juan Chion en personne : le chemin de chaque enfant n'était-il pas inscrit avant de venir au monde ? Patricia, bonne, intelligente, flic. L'autre, assassin, voleur, méchant... Merde, ça, même San Fan Con n'y croirait pas, se répondit-il, et sans oser regarder le vieillard dans les yeux, il essaya de chercher une justification.

— Tu n'as rien fait que le destin n'aurait fait. Si c'est vraiment Panchito, nous l'aurions su de toute façon, vieux, et souviens-toi de quelle manière il a tué l'un de tes compatriotes.

Le Conde fit un signe à Manolo. Ils se levèrent, et en passant devant le vieillard, il lui mit une main sur l'épaule. Le Chinois sourcilla à peine.

— C'est comme ça, vieux. Prends-soin de toi.

— L'evenez un aut'le jou'l, dit Juan Chion en fermant à nouveau les yeux et en tirant sur sa pipe en bambou. Si vous voyez Pat'licia, dites-lui de veni'l bientôt, et le Conde ressentit dans sa poitrine la douleur du vieux : Juan Chion ne méritait pas de souffrir comme cela.

Manolo lui fit un signe et le Conde l'aperçut enfin : Panchito Chiu sortit sur le trottoir, regarda des deux côtés de la rue et se dirigea vers le carrefour où le lieutenant était posté. Ils attendaient depuis deux heures qu'il sorte de l'immeuble de la Société, ils avaient préféré éviter les métamorphoses félines et les poursuites sur les toits, et le Conde avait la bouche sèche et les reins en compote. Il observa la démarche élastique du jeune homme – le salaud tenait du chat, ou du tigre – et il se rappela que le Bambou l'avait averti à propos du couteau et de la pratique des arts martiaux dont se vantait Panchito. En plus, la façon dont il était entré dans la chambre de Pablo et l'avait frappé sans que le policier ne remarque rien démontrait les capacités physiques du bonhomme. Le Conde eut juste le temps de regretter sa négligence coutumière, qui l'avait poussé à fuir le gymnase dès le second cours de karaté pour se réfugier dans son bureau lire un roman qui réjouissait sa vie et lui donnait envie d'écrire. Le reproche ne dura qu'un instant : Panchito était à dix mètres de lui, et à dix mètres derrière suivait Manolo. Le Conde sortit sa carte et lui cria :

— Police, ne bouge plus, et il vit les muscles du jeune homme se tendre. Panchito tourna la tête et vit que Manolo lui coupait la retraite et, sans transition, il croisa les bras devant sa poitrine et adopta une posture d'attaque : il avait un long poignard à la main droite, qu'il tenait par la lame et qu'il s'apprêtait à lancer. Le Conde regretta cette décision de Panchito.

— Lâche ce couteau, lui cria-t-il.

— Viens le prendre, le défia le karatéka.

— Je te dis de le lâcher, gamin. Allez, fais-moi le plaisir de le lâcher...

— Qu'est-ce qui t'arrive ? Tu as peur ?

Le Conde, qui réfléchissait toujours à tout, réfléchit cette fois encore : autant ne pas prendre de risque, et d'ailleurs, oui j'ai peur, conclut-il, et il sortit son pistolet et sans transition tira aux genoux de Panchito qui tomba au sol, lâcha le poignard et se mit à gémir comme un chien blessé. C'était la deuxième fois de toute sa carrière qu'il tirait sur quelqu'un et ce ne fut qu'après l'avoir fait qu'il en prit conscience.

— Putain, Conde, tu es fou, cria alors Manolo, qui n'avait pas bougé de l'endroit où il était au début de la scène, juste derrière Panchito. Tu aurais pu me toucher moi !

— On t'aurait donné une médaille posthume, Manolo. Mais ce fils de pute a manqué de me fracasser la tête hier et il allait me balancer son poignard, tu ne crois pas ? Le Conde essuya la sueur sur son front et alla jusqu'à l'homme blessé, qui n'arrêtait pas de se plaindre : je ne t'avais pas dit de lâcher ton couteau ?

— Alors ?
— Ne t'en fais pas. La balle l'a à peine effleuré et aucun os n'est atteint. Mais il a voulu jouer l'imbécile quand il a vu que c'était du sérieux. Après l'infirmerie, je lui ai montré le résultat des empreintes et il a tout raconté. Il dit que le vieux a eu une attaque et est mort sous ses yeux, semble-t-il, après qu'il a pendu son chien. Panchito ne s'est pas rendu compte que le vieux était juste évanoui. C'est alors qu'il l'a pendu au plafond. Il jure qu'il n'y avait dans la chambre que des papiers et des babioles et qu'il n'a rien emporté. Bien sûr, puisque l'argent d'Amancio était au cimetière... Il a eu l'idée de la *Zaranbanda* sur le moment même. Depuis qu'il s'était initié à la magie, il avait toujours dans la poche

les deux rondelles de cuivre parce qu'elles lui attiraient la chance, prétend-il, et alors il lui a fait la croix sur la poitrine et il lui a coupé le doigt, pour qu'on pense à la sorcellerie et pas à l'argent. Le pire, c'est que son histoire a duré plus d'une heure parce qu'on n'y comprenait presque rien... il pleurait, dit Manolo qui tendit le rapport au Conde.

— Non, rends-moi un autre service, lui demanda le lieutenant. Apporte-le toi-même au major Rangel. Je veux aller voir Juan... Et le lieutenant, où est-elle ?

— Elle a dit qu'elle partait sur une enquête, mais personne ne sait où elle est passée...

— Tu parles, j'imagine où elle est doit être, la salope... alors que j'avais tellement besoin qu'elle vienne avec moi... ou qu'elle soit paumée avec moi...

Le Conde descendit au parking du commissariat et demanda qu'on le conduise au coin d'Infanta et Maloja. Le chauffeur essaya de nouer la conversation pendant le trajet, mais y renonça. Le lieutenant fumait et regardait la rue, et tout le monde au commissariat savait ce que cela signifiait... Il est chiant, disaient certains, et la majorité ajoutait : mais c'est un chic type.

— Je tourne dans Maloja, lieutenant ?

— Non, laisse-moi au coin, c'est là. Allez, merci, Rosique.

Le Conde attendit que la voiture fut repartie et en tournant dans la rue, il le vit qui s'éloignait de l'autre côté : Juan Chion, d'un pas qui semblait avoir perdu sa souplesse naturelle. Le Conde prit une autre cigarette et ses lunettes noires et suivit la trace du vieillard. Au début, il supposait qu'il allait faire les courses, car il avait un cabas à la main. Mais au bout de six rues, il commença à s'étonner. Ils traversèrent Carlos III et le Conde comprit que le vieux allait au quartier chinois. Il marchait sans hâte, d'un pas solide et régulier, et ne s'arrêtait que pour traverser.

Il tourna dans Zanja et marcha jusqu'au centre du quartier. Qu'allait-il faire ? se demanda le lieutenant, en maintenant les cinquante mètres de distance qui le séparaient de celui qu'il filait de façon inattendue. Mais il sentit peu à peu monter une honte terrible à cause de sa position de chasseur camouflé. Il n'avait aucun droit d'espionner la vie privée du vieux Juan Chion, mais la curiosité de savoir ce qu'allait faire le vieux était la plus forte. Cela faisait vingt rues qu'ils marchaient et le Conde sentait ses pauvres orteils, durcis plus que ramollis, le brûler. Je parie une cigarette qu'il va tourner dans Manrique, dit le lieutenant qui se paya lui-même et sortit une de ses maigrichonnes Populares quand le vieux tourna dans la rue où avait vécu le défunt Pedro Cuang. Mais putain, qu'est-ce qu'il veut ? se dit-il, et il pressa le pas et le vit entrer dans l'immeuble. Cependant, Juan Chion ne s'arrêta qu'un instant à l'entrée de la cour intérieure, regarda vers l'intérieur du lugubre corridor, et poursuivit son chemin. Mais où donc est-ce qu'il va ? Il le poursuivit au-delà du restaurant Pacifico, au delà du journal chinois, et le vit tourner dans San Nicolas. La Société, bordel ! faillit-il crier à voix haute et au moment où lui-même tournait au coin de la rue pour voir l'aboutissement du long voyage de Juan Chion, il se trouva face à face avec les yeux du vieux.

— Tu aimes beaucoup la ma'lche, Conde ? lui

demanda le Chinois et le Conde aurait voulu être sous terre et nulle part ailleurs.

— C'est que, vieux... Il chercha une excuse et ne put pas mentir. Je voulais parler avec toi et cela m'a surpris de te voir sortir. Je ne sais pas ce qui m'a pris, je t'ai suivi.

— Ma'lcher est un bon exe'lcice.

— Oui, c'est ce qu'on dit... Je voulais te dire... je ne sais pas, je voulais te dire quelque chose, se troubla le policier, incapable d'exprimer la solidarité qu'il souhaitait manifester au vieillard. Tu vas voir ton compère ?

Juan Chion hocha la tête et regarda en direction de l'entrée de la Société Lung Con Cun Sol.

— Je lui dois une conve'lsation, non ?

Le Conde n'ôta pas ses lunettes.

— Je crois que oui... Mais tu n'es pas responsable de ce qu'a fait le fils, ni moi...

— Ce n'est pas une question de faute, Conde. Ne sois pas bête. C'est la douleu'l et la honte.

— C'est bon, c'est bon, j'ai compris. Oui, parle-lui, mais ne te sens pas coupable... et excuse-moi de t'avoir suivi.

— Bon, ce sont des histoi'les de police. Ah, et si tu vois Pat'licia, n'oublie pas de pa'ler avec elle. Elle te lespecte, Conde. Et elle est folle, folle...

— Ne t'en fais pas. Allez, je t'accompagne, dit-il, et il passa son bras sur les épaules de Juan Chion. Même si tout s'est terminé comme cela, c'était bon de travailler avec toi, vieux. On apprend des choses.

— Quelles choses ?

Le Conde pensa : que vous autres Chinois, vous êtes

toujours aussi bizarres, qu'il existe vraiment une odeur de Chinois, que l'honneur et l'amitié sont l'honneur et l'amitié, mais il dit :

— Que les Chinois ne sont pas des petites fourmis.

Juan Chion s'arrêta alors et lui prit la main.

— Conde, Conde. Tu sais que la honte peut tuer ? Tu sais la honte que je ressens, et celle de Pancho ?... Oui, toi tu sais... Toi tu es bon... Adieu, l'ent'le chez toi, dit le Chinois qui fit sa petite révérence. Le Conde, immobile sur le trottoir, le regarda monter les escaliers de l'immeuble de la Société. Au niveau de la dixième marche, la figure de Juan Chion disparut dans l'obscurité, comme s'il s'était mis à léviter pour rejoindre le monde paisible de Cuang Con et ses frères guerriers.

Le Conde fit demi-tour, ressassant d'inutiles paroles de réconfort qu'il n'avait heureusement pas dites à Juan Chion, et c'est alors qu'il remarqua : cela sentait de nouveau le Chinois. Une odeur jaune, tiède, entêtante. Au moins l'odeur survivait-elle dans ce quartier au passé chargé d'histoires sordides et au futur agonisant, où, par chance, il trouva un bar ouvert et rempli de bouteilles de rhum.

Sans y penser, il s'approcha du comptoir en bois sombre et poli, s'installa sur un tabouret et s'accouda. Un barman mulâtre, avec une chemise blanche resplendissante et une cravate noire au col, s'approcha.

— Bonjour, Conde. Comme d'habitude ?

Et le flic hocha la tête sans s'inquiéter du dénouement de ce rêve.

Sur l'étagère du fond, le barman prit une bouteille de rhum Santiago et la déposa sur le comptoir. Il prit dans la vitrine un verre brillant où il déposa un petit glaçon. Le Conde se réjouit du tintement de la glace contre le cristal et fut sur le point de demander au mulâtre de recommencer. Avec maestria, le discret serveur versa le rhum sur la glace, jusqu'à remplir à moitié le verre de ce rhum couleur perle, et sans prononcer un mot, il se retira.

Le Conde but une première gorgée et comprit à quel point son *tsin* avait besoin de ce nouveau bain d'alcool. Heureusement que dans cette ville tout est possible, se dit-il, et il rebut une gorgée, prêt à ne pas se laisser expulser de ce rêve comme il avait été expulsé de tant d'autres. A présent il boirait dans son bar jusqu'à ce que le rhum lui accorde le soulagement de l'oubli. Au réveil, il serait temps de songer à son tao.

Septembre 1991
Mai 1995
Novembre 1998

SUITES

BIBLIOTHÈQUE HISPANO-AMÉRICAINE

Histoires étranges et fantastiques d'Amérique latine
Présentées par Claude Couffon
Histoires d'amour d'Amérique latine
Présentées par Claude Couffon

Federico ANDAHAZI
La Villa des mystères

José María ARGUEDAS
Yawar fiesta

Alfredo BRYCE-ECHENIQUE
Le Petit Verre de ces dames
Ne m'attendez pas en Avril
Noctambulisme aggravé
L'Amygdalite de Tarzan

Jésús DÍAZ
Les Paroles perdues
La Peau et le Masque
Parle-moi un peu de Cuba

Mario DELGADO APARAÍN
La Ballade de Johnny Sosa
Une histoire de l'humanité

Hernán RIVERA LETELIER
La Reine Isabel chantait des chansons d'amour
Le Soulier Rouge de Rosita Quintana

Pablo DE SANTIS
La Traduction

Antonio SARABIA
Les Invités du Volcan

Luis SEPÚLVEDA
Histoire d'une mouette et du chat qui lui apprit à voler
Journal d'un tueur sentimental
Le Monde du bout du monde
Le Neveu d'Amérique
Rendez-vous d'amour dans un pays en guerre
Les Roses d'Atacama
Un nom de torero
Le Vieux qui lisait des romans d'amour
Yacare Hot line
Les Roses d'Atacama

Paco Ignacio TAIBO II
Le Rendez-vous des héros
De Passage
L'Année où nous n'étions nulle part

POCHES NOIRS

Impression réalisée sur CAMERON par

BUSSIÈRE CAMEDAN IMPRIMERIES

GROUPE CPI

à Saint-Amand-Montrond (Cher)
en juillet 2001

N° d'édition : 2449001. — N° d'impression : 013242/1.
Dépôt légal : septembre 2001.

Imprimé en France